D0784453

HERAUS, PROFESSOREN!

HERAUS, PROFESSOREN!

Duitse émigré professoren in Oxford en Cambridge (1933-1945)

Guy Schrans

UITGEVERIJ
snoeck
EDITIONS / PUBLISHERS

Aan Leen De Bremme

INHOUD

Er zijn vele redenen waarom ik met bijzonder veel genoegen dit 'document humain' wou inleiden.

Het aangrijpend verhaal van twaalf Joodse professoren die nazi-Duitsland in de jaren 1930 ontvluchtten om in Engeland onderdak te vinden bij voorkeur in de academische wereld is dusdanig origineel – ook al werd het uitgebreid verhaal reeds in Jurists Uprooted (2004) opgetekend – dat ik het in één ruk heb uitgelezen.

Maar er is meer. In 1955 volgde ik de lessen van de schitterende jurist Clive Schmitthoff (City of London College), die mij op voortreffelijke wijze introduceerde in het voor continentale juristen toch wel bijzonder complexe Engelse recht. Ik was dan ook bijzonder opgetogen dat ik mijn eerste mentor in het common law in deze galerij mocht terugvinden.

En ik dacht natuurlijk ook aan mijn geëerde leermeester Nico Gunzburg, geboren in Riga (Letland), waarvan de ouders reeds in het begin van de 20ste eeuw, beangstigd door de anti-Joodse pogroms, uitweken naar Antwerpen.

Er is vooreerst de tragiek in het persoonlijk, familiaal en professioneel leven van de geportretteerden.

Met de tragiek van het nationaal-socialistisch bewind gaat het in een zekere mate als met ons persoonlijk geheugen. Het valt mij op dat hoe ouder wij worden, hoe scherper de contouren van onze jeugdjaren worden.

Inderdaad, hoe verder wij geraken in de tijd tegenover het groeiend antisemitisme in Duitsland, hoe meer wij getroffen worden door het hallucinante van het Hitler-regime. Zo werd ik getroffen door het verhaal van de verboden naamwijziging om de Joodse origine niet te doen verdwijnen, alsook door het feit dat de nazi's een 'blacklist' hadden gemaakt van alle personen die in geval van invasie in Engeland moesten opgepakt worden.

Het meest boeiende in deze verhalen vond ik de vergelijking van de Duitse rechtscultuur met de Engelse rechtscultuur. Hoewel deze vergelijking zeker niet in de sterren stond geschreven, heeft het tragisch toeval van de Joodse exodus gezorgd voor een onvoorstelbaar rijke bevruchting van het Engelse en tegelijk van het internationale recht.

Dit gebeuren doet mij onwillekeurig denken aan het verhaal in de memoires van de Pools-Duitse literair criticus, Marcel Reich-Ranicki, die vertelt dat hij op tournee in Japan de briljante violist Yehudi Menuhin ontmoette en dat zij aan elkaar toevertrouwden dat het de historische opdracht van de Joden is om de Duitse cultuur (in casu literatuur en muziek) in de wereld uit te dragen …

Maar het gaat evenzeer om de sociale cultuur. Zelf mocht ik o.m. doceren in Tübingen en Göttingen en een 'Belgian Chair' bezetten in Londen. Ik begrijp maar al te best het gevoel van eenzaamheid van de Duitse émigré, nu ikzelf tijdens een vol academisch jaar in Londen nooit de gelegenheid heb gehad om in 'common room' met Engelse collega's een gesprek te voeren …

Dat het onderricht aan de Rechtsfaculteiten fundamenteel verschillend is, hoeft wel geen betoog. In Tübingen mocht ik een 'Staatliche Prüfung' meemaken, terwijl ik in Londen bij een kennismaking in een Inn of Court de vraag kreeg: 'what means a Belgian proceduralist?'

Tussendoor geeft de auteur ook een aantal beschouwingen ten beste over de eigen-aardigheid (sui generis) van het Engelse recht: de rechtsvinding, het internationaal privaatrecht, de beperkte impact van de doctrine op de rechtspraak, … Maar bovenal komt hier tot uitdrukking de grandeur van het Duitse recht, zoals die geboetseerd werd door de Joodse juristen, tot de rampzalige breuk ontstond in de jaren 1930.

Guy Schrans is mij sinds decennia verwant, zodat men van een zekere 'Wahlverwantschaft' mag gewagen. Wij liepen school – met een leeftijdsinterval – in het vermaarde Sint-Barbaracollege en later ontmoetten wij elkaar in de Gentse rechtsfaculteit.

Na een gevulde academische loopbaan heeft de auteur zich de jongste jaren ontpopt als een gedreven historicus, vooral op het vlak van de 'Ideeengeschichte' maar dan ook ideeën, gedragen door sterk geprofileerde personen.

Ook in dit boek portretteert Schrans de twaalf émigrés op een bijzonder levendige wijze – familiale origine, opleiding en wetenschappelijk curriculum – en bewijst hij eens te meer zijn grote eruditie.

Het is ook een bijzonder leesbaar verhaal geworden, waarbij op didactische wijze het juridisch jargon wordt toegelicht voor leken, die zonder twijfel in deze verhalen zullen geïnteresseerd zijn.

Ik ben ervan overtuigd dat velen mijn waardering voor dit aangrijpend verhaal zullen delen.

Marcel Storme
Prof. em. UGent en UFSIA
Gent, 29 september 2012
H.Michaël

I

Dit boek brengt het verhaal van enkele Duitse professoren die zich vanaf 1933 wegens de meedogenloze tirannie van het nazisme verplicht zagen te emigreren en een nieuw leven te beginnen in Engeland. Allen waren zij 'Joden', wat toen volstond om hun baan te verliezen. Sommigen werden bovendien om politieke redenen vervolgd omdat zij zich als democraten publiekelijk verzetten tegen het fascisme en de dictatuur.

Vaak zijn het erg pijnlijke verhalen, zowel op menselijk als op academisch vlak. Vooral de oudere professoren (vijftigers, zestigers) hadden heel wat moeite met het Engelse rechtssysteem en met de onderwijsmethodes in dit land. Voor een aantal jongere juristen was de gedwongen emigratie evenwel een buitenkans. Ze konden immers in Engeland een nieuwe, vaak schitterende, carrière bouwen. Na de oorlog keerde een minderheid terug naar een Duitse universiteit en nam actief deel aan het herstel van de democratie en de rechtsstaat.

Met deze publicatie wordt niet beoogd enige stelling of theorie te bewijzen of te verdedigen. Zij wil vooral aan de hand van concrete situaties enkele thema's met meer algemene gelding belichten. Deze worden in een afsluitend hoofdstuk samengebald.

II

Zijn verre oorsprong vindt dit boek in een informele cyclus van drie gesprekken die ik tijdens de jaren 1961-1971 met enkele rechtstreekse getuigen mocht voeren.

° Tijdens mijn studies aan de Harvard Law School in 1960-1961 had ik een interessante ontmoeting met de gewezen Duitse émigré prof. Max Rheinstein (1899-1977) die me had voorgesteld om aan de University of Chicago Law School zijn *teaching assistant* in de rechtsvergelijking te worden. Tijdens dit gesprek vertrouwde prof. Rheinstein me een aantal beklijvende bijzonderheden toe over zijn bewogen academische ervaringen aan de Joodsonvriendelijke Friedrich-Wilhelms universiteit van Berlijn.

°Vijf jaar later (1966) maakte ik deel uit van het comité dat in de Gentse universiteitsaula de internationale academische huldiging van prof. Louis

Fredericq (1892-1981) inrichtte. Ik stond onder meer in voor het comfort van een voornaam deelnemer aan de hulde, prof. Henry Frederick (Harry) Lawson (1897-1983), emeritus hoogleraar van de universiteit van Oxford en toen ook voorzitter van de *Académie internationale de droit comparé*. Lawson, die in de late jaren 1920 aan de universiteit van Göttingen had gestudeerd, was bevriend met de meeste Duitse rechtenprofessoren die naar Engeland emigreerden. Later vernam ik ook (in het hierna te vermelden boek) hoe hij zich effectief had ingezet om velen te helpen naar Engeland over te komen en er een geschikte academische betrekking te vinden. Tijdens een avondlijke conversatie in de lobby van zijn hotel wist hij me enkele anekdoten te vertellen over de valkuilen van een oppervlakkige rechtsvergelijking – waarbij hij meer dan eens verwees naar het intellectueel onbegrip dat vaak heerste tussen de Duitse émigrés en de traditioneel-Britse juristen van Oxford, Cambridge en Londen.

° Nogmaals vijf jaar later (1971) had prof. Gerd Rinck (1910-2007), hoogleraar aan de universiteit van Göttingen, me uitgenodigd om een referaat te houden op een internationaal colloquium over 'het economisch recht in zeventien landen'.[1] Tijdens een receptie in het stadhuis van Göttingen maakte ik kennis met prof. Franz Wieacker (1908-1994), van dezelfde faculteit, die ik van naam kende als een der grote specialisten van de illustere rechtsgeleerde Rudolf von Ihering (1818-1892). Toen prof. Wieacker hoorde dat ik van Gent kwam, klampte hij me aan om een gesprek te beginnen over de Gentse magistraat Octave de Meulenaere (1840-1905), die immers de allereerste vertaler van Ihering in het Frans was geweest. Hoe hij daartoe kwam weet ik niet meer, maar even later had prof. Wieacker het over enkele herinneringen aan zijn leven als jong academicus tijdens het naziregime. Hij (die zelf geen Jood was) had talrijke uitgeweken professoren gekend, onder meer zijn vereerde leermeester prof. Fritz Pringsheim die hierna in hoofdstuk 5 aan de orde komt.

III

Deze drie gesprekken bleven in mij sluimeren tot ik in 2005 kennis nam van het in 2004 bij de Oxford University Press gepubliceerde boek *Jurists Uprooted. German-speaking émigré lawyers in twentieth-century Britain* (850 pp., J. Beatson & R. Zimmermann eds.).[2] Was het heimwee naar 'de tijd van toen' en naar mijn gesprekken met Rheinstein, Lawson en Wieacker?

---

[1] G. Rinck ed., *Begriff und Prinzipien des Wirtschaftsrechts. Siebzehn Landesberichte zu einem internationalen Symposion*, Frankfurt am Main, 1971.

[2] ISBN 0-19-927058-9.

Of ontwaarde ik enige metajuridische dramatiek in die gebroken levensverhalen? Hoe dan ook, ik heb het boek eerst 'verslonden', later diverse hoofdstukken ervan grondig herlezen. Omdat het naar mijn overtuiging historisch belangwekkend is en het bovendien een duurzame ethische en intellectuele boodschap aanreikt, besloot ik zelf een veel beknopter boekje te schrijven over enkele (ergerlijk ingekorte) typische levensverhalen van Joodse émigrés in Oxford en Cambridge, bijkomend ook in Londen.[3] Dit boekje is gebaseerd op de schat aan inlichtingen vervat in *Jurists Uprooted*. Voor lezers die kennis willen krijgen van meer gedetailleerde gegevens, worden bij elk levensverhaal de vindplaatsen in dit boek gesignaleerd. Ik plukte ook enkele gegevens op het internet alsmede uit: G. Hirschfeld ed., *Exile in Great Britain. Refugees from Hitler's Germany*, 1984 en H. Heinrichs ed., *Deutsche Juristen jüdischer Herkunft*, 1993.

Volledigheidshalve preciseer ik dat talrijke Duitse juristen naar de Verenigde Staten emigreerden waar velen naam maakten aan de meest vermaarde universiteiten. Ook over deze émigrés bestaat een uitgebreide literatuur.[4]

IV

Jurists Uprooted is opgebouwd rond enkele juridische vakgebieden (Romeins recht, rechtsvergelijking, internationaal privaatrecht, volkenrecht) en lijkt daarom in hoofdzaak bedoeld voor rechtsgeleerden.

Ik heb gekozen voor een andere benadering. Omdat het leven van alledag, ook voor Joodse émigrés, uit een lach en een traan bestaat, brengt dit boek naast overwegend trieste verhalen ook enkele authentieke *success stories*. Zo worden de individuele situaties en de krachtlijnen scherper gecontrasteerd en in een mensgericht perspectief geplaatst.

Prof. em. Guy Schrans
Herfst 2012

---

[3] Enkele émigrés uit *Jurists Uprooted* bespreken we niet bij gebrek aan voldoende biografische gegevens of omdat hun emigratie naar Engeland vreemd was aan de nazimaatregelen.

[4] Zie vindplaatsen in: *Jurists Uprooted, o.c.*, p. 39, n. 254.

Fritz Schulz (1879-1957)[5] [6]
'Ik heb geen geld maar voor het overige is alles piekfijn'

In de waan dat de Jodenvervolging een tijdelijk verschijnsel was, emigreerde prof. Fritz Schulz pas in augustus 1939 naar Engeland, waar men hem in armtierige omstandigheden zijn ding liet doen zonder hem te betrekken bij het universitair leven. In zijn eenzaamheid schreef hij er twee klassiek gebleven boeken over Romeins recht.

I

Op een grauwe herfstdag van eind september 1933 nam de 54-jarige prof. Fritz Schulz, hoogleraar Romeins recht aan de prestigieuze Friedrich-Wilhelms universiteit van Berlijn, met enige gelatenheid kennis van een recent besluit van de Pruisische minister van onderwijs, wetenschappen en kunst. Er werd hem bevolen zijn ambt neer te leggen 'in ruil voor een benoeming aan een andere universiteit'. Intussen mocht hij in Berlijn geen college meer geven.

Schulz wist dat de minister, sedert een naziwet van 7 april 1933 op het openbaar ambt (zie verder, hoofdstuk 13, 4.1) de bevoegdheid bezat om hem op eigen gezag naar een ander ambtsgebied over te plaatsen (zelfs in een lagere rang). Hem viel nochtans op dat de minister niet preciseerde naar welke universiteit hij werd gemuteerd.

Schulz was niet verrast door deze beslissing. Het was hem bekend dat de nazileiding sedert maanden op zoek was naar een middel om hem eenzijdig uit Berlijn te verwijderen. Reeds in juni 1933 had men zonder redengeving zijn salaris als hoogleraar fors verminderd.

Aangezien zijn moeder en moederlijke grootouders 'volbloed Joden' (*Volljude*) waren, was Schulz immers een 'halfjood' in de zin van de recente

[5] Zie verder: W. Ernst, in: *Jurists Uprooted, o.c.,* pp. 105-203.
[6] Voor ongebruikelijke (Duitse en Engelse) woorden en uitdrukkingen in de levensverhalen, zie de Woordenlijst achteraan in het boek.

rassenwetgeving (verordening van 11 april 1933). Zoals zijn vader (en zijn in 1888 bekeerde moeder) was Fritz Schulz zelf een praktiserend lutheraan. Hij was gehuwd met een Jodin die na het huwelijk naar het protestantisme overging.

Als 'halfjood' kon Schulz sedert de wet van april 1933 in principe zonder meer worden ontslagen. Deze regel was evenwel niet van toepassing op ambtsdragers die reeds voor de Eerste Wereldoorlog in dienst waren. Vermits Schulz' eerste benoeming aan de universiteit Kiel van 1912 dateerde, moest de minister wel een andere rechtsgrond vinden om Schulz te verwijderen. Vandaar de 'gedwongen overplaatsing'. De nazileiding had nog andere redenen om zich te ontdoen van Schulz' aanwezigheid te Berlijn.

Vooreerst: Schulz was bekend als een links-liberaal democraat, een van de stichters in 1918 van de *Deutsche Demokratische Partei* die niet ophield het nationaal-socialisme sedert zijn ontstaan te bestrijden.

Nog erger. Tijdens de zomer 1933 had Schulz een aantal publieke lezingen gehouden over de basisprincipes van het Romeins recht. Hun nochtans wetenschappelijke inhoud werd door de nazi's als een frontale aanval op hun ideologie en zelfs hun partijprogramma beschouwd.

Tot de invoering van het *Bürgerlisches Gesetzbuch* (BGB, burgerlijk wetboek) in januari 1900 had het Romeins recht een overwegende rol gespeeld in het Duitse privaatrecht. Nu het Romeins recht geen formele rechtsbron (m.a.w. geen 'levend recht') meer was, verbaast het niet dat men in universitaire en politieke kringen de toekomstige rol van deze discipline in het onderwijs ter discussie bracht. Uiteenlopende stellingen werden verdedigd, zoals dit voor zo'n principiële keuze hoort. Met de opkomst van het nazisme ontaardde het intellectueel debat evenwel tot een gewichtige politieke kwestie. Volgens artikel 19 van het '25 punten-programma' van de nazipartij (1920) moest inderdaad het Duitse recht 'gezuiverd' worden van alle Romeinsrechtelijke bestanddelen, omdat dit 'materialistische' rechtsstelsel in wezen 'on-Germaans' was als behorend tot de verfoeide Latijns-Romeinse cultuursfeer.[7] *Los von Rom* diende voortaan het motto van de Duitse juristen te zijn! Zelfs het BGB moest door een *Volksgesetzbuch* worden vervangen.

In zijn lezingen verdedigde Schulz een heel andere opvatting. Volgens hem stoelde het Romeins recht op enkele fundamentele waarden (als vrijheid, trouw aan het gegeven woord, humaniteit) die kenmerkend zijn voor de hele westerse beschaving, ook in Duitsland. 'Een oorlogsverklaring!', meenden tal van toehoorders – ook degenen die in stilte instemden maar de moed (of de vermetelheid?) ontbeerden om voor hun opvatting op te

---

[7] Om dezelfde reden bevorderde het fascistische Italië de studie van het Romeins recht.

komen. Hoe dan ook, de Pruisische minister van onderwijs, wetenschappen en kunst wist wat hem te doen stond.

II

Tot de opkomst van het nazisme was het bestaan van Fritz Schulz een traditioneel *cursus honorum* geweest.

Hij werd in 1879 geboren in een stadje van Neder-Silezië dat thans deel uitmaakt van Polen. Vader Julius Schulz was de bemiddelde directeur van een spinnerij en een trouw lid van de plaatselijke lutherse kerkgemeente. Moeder Clara Landsbergen stamde uit een Joodse familie, maar bekeerde zich tot het protestantisme toen Fritz negen jaar was.

Fritz wilde eigenlijk als pianist en componist beroepsmusicus worden. Ook tijdens de zwartste dagen van zijn leven bleef muziek voor hem een opbeurende vertroosting. Deze jeugddroom viel evenwel aan diggelen toen vader Julius in 1897 plots kwam te overlijden. Hoewel Fritz nog niet was afgestudeerd in het plaatselijke gymnasium nam hij onmiddellijk als oudste zoon de leiding van het ontredderde gezin (met nog twee jongere broers en een zus). Hij besliste onder meer af te zien van een onzekere loopbaan in de muziek en rechten te gaan studeren met het oog op een beroep dat het gezinsinkomen kon ondersteunen.

In 1899 werd hij student in de rechten aan de Friedrich-Wilhelms universiteit van Berlijn. Na het eindexamen begon hij aan zijn wettelijke stage maar beëindigde deze reeds na enkele maanden omdat hij zich te zeer betutteld achtte en vooral omdat hij zich voortaan geheel wou wijden aan de wetenschap. In 1905 werd hij dan ook *doctor iuris* met een opgemerkte dissertatie over Romeinsrechtelijke vragen rond de 'verrijking zonder oorzaak'.[8] Na nog enkele geleerde publicaties volgde in 1906 zijn *Habilitation* aan de universiteit van Freiburg im Breisgau.

Het duurde tot 1909 voor hij zijn eerste benoeming kreeg, als professor aan de rechtenfaculteit van Innsbruck. Intussen fungeerde hij als *Privatdozent* (onbezoldigd niet-statutair docent) te Freiburg im Breisgau en doceerde hij ten behoeve van studenten uit alle faculteiten een algemene cursus over het in januari 1900 in werking getreden *Bürgerliches Gesetzbuch* (burgerlijk wetboek). Onder zijn toehoorders bevond zich een aantrekkelijke studente in de geneeskunde die hij enkele jaren later huwde.

---

[8]   Verrijking zonder oorzaak ontstaat wanneer in het vermogen van de ene (de verarmde) een verschuiving intreedt ten voordele van het vermogen van een ander (de verrijkte) zonder dat daarvoor een juridische 'oorzaak' bestaat, bijv. een wettelijke bepaling, een contractuele verbintenis of de eigen wil van de verarmde.

In 1909 publiceerde Schulz een strak-wetenschappelijk boek van 488 pagina's dat beoogde, naast de contractuele aansprakelijkheid en de aansprakelijkheid wegens onrechtmatige daad, een nieuwe aansprakelijkheidsgrond in te voeren, gebaseerd op het *Eingriffserwerb*, d.i. (heel summier) de winst die iemand verwezenlijkt als gevolg van een inbreuk op een wettelijke bepaling. Alle recensenten en deskundige lezers waren het erover eens dat dit als wetenschappelijk werk een model van het genre was. Om allerlei redenen die te technisch zijn om hier te bespreken, vond Schulz' theorie nochtans geen ingang in rechtsleer en rechtspraak.

Ietwat ontnuchterd besloot Schulz voortaan het domein van de rechtstheorie links te laten liggen en zich geheel toe te leggen op de geschiedenis van het recht, met bijzondere aandacht voor het Romeins recht van de 'glossatoren', dit waren middeleeuwse juristen die bij teksten van het Romeins recht verklarende aantekeningen (*interpolaties*) maakten. Dit recht was weliswaar, alleszins sedert de invoering van het BGB, geen 'positief recht' meer, maar een nauwkeurige kennis van de rechtsgeschiedenis, zo schreef Schulz in zijn dagboek, is ethisch van belang 'omdat zij leidt tot nederigheid en scepticisme'.

Zoals reeds vermeld, werd Schulz in 1909 hoogleraar Romeins recht aan de universiteit van Innsbruck die hem het jaar daarop het ordinariaat toekende. Reeds in 1912 volgde een eervolle benoeming aan de universiteit van Kiel, waar Schulz nochtans niet gelukkig was wegens de 'academische nonsens die hij dag in dag uit als faculteitsdecaan moest aanhoren'.

In 1914 huwde hij de arts Martha Plaut, die hij in 1909 als studente had leren kennen. Zij was de dochter van een vermaard en invloedrijk 'liberaal' rabbijn uit Frankfurt am Main. Na het huwelijk vervoegde ze de lutherse kerkgemeente van haar echtgenoot.

Schulz werd wegens zijn gebrekkig zicht niet als militair opgeroepen voor de Eerste Wereldoorlog.

In 1916 werd hij benoemd tot hoogleraar in het Romeins recht aan de universiteit van Göttingen.

Met de instorting van het keizerrijk in 1918 en de opbouw van een democratische republiek waagde Schulz zich aan de politiek. Met zijn zus Marie werd hij een van de stichters van de *Deutsche Demokratische Partei*, die het nationalisme afzwoer en ijverde voor het welslagen van de vernieuwende 'grondwet van Weimar'. Hij was zelfs enige malen vruchteloos kandidaat voor de verkiezingen.

Omdat zijn conservatief-nationalistische collega's in Göttingen zijn progressief engagement openlijk afkeurden, zag Schulz voortaan af van een actieve politieke rol, hoewel hij zijn democratische links-liberale overtuiging steeds trouw bleef.

In 1923 volgde zijn benoeming aan de universiteit van Bonn waar hij naar eigen zeggen op academisch en persoonlijk vlak erg gelukkig was.

Intussen was Schulz, ook internationaal, door zijn publicaties een van de meest uitmuntende specialisten van het Romeins recht geworden. Het was dan ook in sterren geschreven dat hij uiteindelijk zou worden benoemd aan de meest prestigieuze Duitse universiteit, die van Berlijn, wat dan ook in 1931 gebeurde.

Financieel was deze bevordering overigens een meevaller. Door het grote aantal studenten verhoogde op aanzienlijke wijze zijn aandeel in de ontvangen collegegelden. Zijn jaarlijks inkomen bedroeg toen 40.000 mark, d.i. heel wat meer dan bijvoorbeeld de hoogste magistraat van Duitsland, de president van het *Reichsgericht*, die 25.000 mark per jaar verdiende. Het gezin Schulz kocht een ruime villa in de welstellende wijk Dahlem en de toekomst lachte hen hoopvol tegemoet.

Tot het ministerieel besluit van 'gedwongen overplaatsing' in september 1933.

III

Pas in april 1934 vernam Fritz Schulz dat hij overgeplaatst werd naar de universiteit van Frankfurt am Main. Bij zijn eerste bezoek aldaar deelde de decaan van de rechtenfaculteit hem nochtans mee dat hij helemaal geen college mocht geven uit vrees voor gewelddadige protestacties van nationalistische en nazigezinde studenten.

Omdat hij geen uitweg meer zag besloot de 55-jarige Schulz uiteindelijk met ingang van januari 1935 zijn pensioen aan te vragen onder de voorwaarde, waarmee de minister instemde, dat hem de titel werd toegekend van 'emeritus van de universiteit van Berlijn'.

Dit nieuwe statuut had zware financiële gevolgen. Voortaan bedroeg Schulz' inkomen nog amper een derde van wat het tot voor kort was geweest. De fraaie villa in Dahlem werd verkocht en het gezin ging wonen in een huurappartement in de wijk Charlottenburg.

Alle praktische problemen van de nieuwe situatie werden opgevangen door de krandige mevrouw Martha Schulz[9] terwijl haar echtgenoot, die nu over veel vrije tijd beschikte, ijverig zijn wetenschappelijk werk verderzette en de resultaten ervan publiceerde. Maar ook dit werd hem weldra erg moeilijk gemaakt. Reeds in 1934 deelde de editor van het leidinggevende

---

[9] Diverse auteurs beklemtonen de doorslaggevende rol van de Joodse vrouwen en moeders in het handhaven en redden van talloze emigé-gezinnen, vooral na hun vestiging in Engeland; G. Hirschfeld ed., *Exile in Great Britain. Refugees from Hitler's Germany*, 1984, p. 291 e.v.

Savigny Zeitschrift für Rechtsgeschichte hem mee dat het tijdschrift voortaan een meer 'Germaans' karakter zou dragen zodat studies over het Romeins recht en de dito rechtsgeschiedenis minder gewenst waren. Enige tijd later werd aan Joden de toegang tot openbare (inbegrepen universitaire) bibliotheken ontzegd zodat Schulz nog enkel kon terugvallen op zijn persoonlijke, weliswaar rijkelijk voorziene, bibliotheek.

Terwijl hij in eigen land miskend en geboycot werd, nam Schulz' wetenschappelijke faam in het buitenland almaar toe. Zijn beruchte lezingen van de zomer 1933 over de basisprincipes van het Romeins recht (zie paragraaf I) werden in het Engels vertaald en in 1936 gepubliceerd door de Oxford University Press *(Principles of Roman Law)*. Tevens werd hij herhaaldelijk als referent uitgenodigd op internationale congressen en colloquia waar hij kennis maakte met een aantal buitenlandse collega's, onder wie sommigen hem na zijn emigratie nog behulpzaam waren.

Fritz Schulz was geen pessimist. Hij was ervan overtuigd dat de Jodenvervolging, zoals het nazisme zelf, een tijdelijk verschijnsel was. Na het aanhoren van een radiotoespraak van Adolf Hitler verklaarde hij bijvoorbeeld dat men geen werkelijk onheil kon verwachten vanwege een man die een dermate beperkte kennis van de Duitse grammatica bezat!

Martha Schulz vreesde daarentegen een erg sombere toekomst. Na de goedkeuring van de racistische 'Nuremberg-wetten' van september-oktober 1935 kon zij haar echtgenoot ervan overtuigen de vier kinderen hun studies veilig in Engeland te laten voltooien. Omdat dit aanzienlijke uitgaven in buitenlandse valuta veroorzaakte werden enkele kamers van het appartement van Charlottenburg verhuurd aan buitenlandse studenten die aanvaardden het huurgeld in deviezen te betalen op de Engelse bankrekening van Schulz' gewezen assistent Friedrich-Alexander Mann die reeds als advocaat naar Londen was uitgeweken (hoofdstuk 2). Deze niet erg wettige regeling veronderstelde natuurlijk dat enkel betrouwbare antifascisten als betalend logé werden aangenomen.

Eveneens op aandringen van zijn echtgenote ondernam Fritz Schulz nu talrijke pogingen om aan een buitenlandse universiteit te worden benoemd, desnoods als bibliothecaris. Zo solliciteerde hij onder meer bij de universiteiten van Baton Rouge (Louisiana), Harvard, Johannesburg, Edinburgh, Nottingham en een paar Zuid-Amerikaanse universiteiten. Hoewel algemeen gerespecteerd vond hij nergens gehoor. Voor velen was hij te oud (weldra 60 jaar), was zijn talenkennis ontoereikend of bezat hij, als specialist van de Romeinse rechtsgeschiedenis, een onvoldoende kennis van het vigerende buitenlands recht. Bovendien was hij volgens zijn dochter te bescheiden om zichzelf met succes 'te verkopen'.

Na de progroms en de beruchte *Reichskristallnacht* van 9 en 10 november 1938 werd emigratie een niet meer te ontwijken hoogdringende opgave.

Omdat emigratie het verval van zijn pensioenrechten meebracht, en hij bovendien na de verkoop van zijn villa geen privévermogen bezat, moest Schulz zich vooreerst van een nieuwe inkomstenbron verzekeren. Met de steun van Engelse collega's kon hij een regeling treffen met de Oxford University Press (hierna OUP) en het vermaarde Balliol College aldaar: hij zou twee boeken over Romeins recht schrijven tegen betaling van een forfaitair bedrag (toen 400 pond) over een periode van twee jaar. Voor enig inkomen vanaf het derde jaar kon men hem geen garantie bieden. Schulz achtte het bedrag ontoereikend en ging niet in op het voorstel.

In maart 1939 werd onder druk van de Gestapo het huurcontract voor het appartement in Charlottenburg op staande voet beëindigd. Het gezin Schulz zag en begreep het teken aan de wand.

Met een uitreisvisum naar Nederland verlieten Fritz en Martha Schulz Duitsland in april 1939. Aanvankelijk vestigden ze zich in Bilthoven bij Utrecht, kort erna in de ruime woning van een bevriend advocaat aan het Leidse Rapenburg. Met de hulp van zijn collega prof. Julius-Christiaan van Oven (1881-1963), die Romeins recht doceerde aan de universiteit van Leiden, werd hem een bescheiden maar voldoende inkomen verzekerd door het 'Academisch Steunfonds' dat was opgericht met het doel aan universitaire émigrés tijdelijk financiële bijstand te verlenen. Schulz maakte onmiddellijk gebruik van de rijke Leidse universiteitsbibliotheek om zijn wetenschappelijk werk verder te ontplooien. Hij slaagde er zelfs in om zijn persoonlijke bibliotheek uit Berlijn te laten overkomen! Een van zijn studies verscheen in het *Tijdschrift voor rechtsgeschiedenis* in 1941. Tevens startte hij een (nooit voltooid) onderzoek naar de bronnen die Hugo Grotius (1583-1645) had gebruikt (maar niet steeds vermeld) voor zijn *De iure belli ac pacis* (1626, 1631).

Intussen noopte de naderende oorlog Schulz om de onderhandelingen met Oxford te hernemen. In Engeland werd gepoogd vanwege het *Home Office* (ministerie van binnenlandse zaken) een inreisvisum voor hem te bekomen, maar dit verzoek botste op allerlei vertragende vragen, bijvoorbeeld: was het wel verantwoord een verblijfsvergunning te verlenen aan een man van zestig jaar wiens inkomen vanaf het eventuele derde verblijfs-jaar niet gegarandeerd was? De redding kwam met een notariële borgstelling vanwege een vermogende broer van Martha Schulz die arts was in de Verenigde Staten.

IV

Zodra zij in het bezit waren van de nodige documenten, ondernamen Fritz en Martha Schulz op 28 augustus 1939 de reis naar Engeland met het laatste schip dat enkele dagen voor het uitbreken van de Tweede Wereldoorlog (1 september 1939) Nederland mocht verlaten.

De voorgenomen regeling met OUP en Balliol College werd gefinaliseerd en het echtpaar Schulz kon met een mager inkomen (200 pond van toen op jaarbasis) in een bescheiden huis in Oxford gaan wonen. Tijdens de oorlogsjaren kon ook worden gerekend op enige financiële bijstand van de Rockefeller Foundation.

Schulz werkte nu elke dag in de vermaarde universitaire *Bodleian Library* zodat hij, weliswaar met vertraging, de twee boeken kon afwerken die hij aan OUP had beloofd, te weten een *History of Roman Legal Science* dat onmiddellijk als een erg innoverend meesterwerk werd toegejuicht, en het handboek *Roman Classical Law* dat minder enthousiasme genereerde. Schulz was immers op de eerste plaats een onderzoeker die met uiterste nauwkeurigheid Romeinsrechtelijke teksten uit de oudheid en de middeleeuwen kritisch bestudeerde. Het schrijven van een in hoofdzaak voor studenten bestemd handboek, dat hij als vulgarisatie beschouwde, lag hem aanzienlijk minder.

In Engeland bestond op dat tijdstip amper een traditie van origineel wetenschappelijk onderzoek op het gebied van het Romeins recht. De zeldzame universiteiten waar deze discipline werd gedoceerd vereisten enkel laagdrempelige handboeken die voor het onderricht van de studenten waren bedoeld. Het is overigens pas met en door de komst van de Duitse émigrés dat in Engeland een aanvang werd gemaakt met wetenschappelijk Romeinsrechtelijk onderzoek naar het model van Schulz en anderen.[10]

Om dezelfde reden werd aan Schulz geen universitaire leeropdracht toevertrouwd. Men achtte hem té gespecialiseerd in Romeinse rechtsgeschiedenis en in secuur tekstonderzoek om met bijval te kunnen instaan voor een overzichtelijke algemene inleiding tot het Romeins recht. Pas na de oorlog stelde Balliol College hem aan om *tutorials* (door *colleges* georganiseerd individueel onderricht) te houden ten behoeve van het fel gestegen aantal gedemobiliseerde militairen die aan de rechtsstudie begonnen.

Vrienden van Schulz (vooral F.A. Mann; hoofdstuk 2), ergerden zich bovendien grondig aan het feit dat Schulz helemaal niet werd betrokken bij het academisch leven binnen de universiteit. Geen enkel *college* (ook niet Balliol dat hem nochtans financieel ondersteunde) nodigde hem bijvoor-

---

[10] Verder: P. Birks, in: *Jurists Uprooted, o.c.,* pp. 249-268.

beeld uit om *Fellow*, of zelfs gewoon lid, te worden. Er werd hem evenmin toegang verleend tot een conviviale *Senior Common Room* in een van de talrijke *colleges*.

Begin juli 1940 wachtte Schulz een bittere verrassing. Hij werd op grond van de Engelse vreemdelingenwet als *Enemy Alien* gearresteerd en tot midden oktober, zoals talloze andere émigrés, opgesloten in een met prikkeldraad omgeven kamp op het eiland Man. Nu nog bestaat bij Engelse juristen enige verlegenheid over deze oorlogswetgeving. Op welke grond kon een Joods émigré als een 'vijand' worden beschouwd nu hij krachtens de naziwetgeving door zijn emigratie van rechtswege zijn Duitse nationaliteit had verloren? En was het verantwoord álle émigrés als *Enemy Aliens* over dezelfde kam te scheren, dus ook de vluchtelingen om raciale of politieke redenen? (zie verder: hoofdstuk 13, 4.2).

Ondanks zijn intellectuele eenzaamheid en de armtierige levensomstandigheden van zijn gezin, liet Schulz de moed niet zakken. In 1946 schreef hij bijvoorbeeld aan een Duitse vriendin: 'We stellen het hier goed. Ik heb weliswaar geen betrekking, geef geen college en heb geen geld, maar voor het overige is alles piekfijn'.

Tijdens dezelfde periode ondernam Schulz pogingen om zijn Duits emeritaatspensioen opnieuw uitbetaald te krijgen. Als 'emeritus van de universiteit van Berlijn' richtte hij zich eerst tot deze universiteit die toen deel uitmaakte van de Sovjet-bezettingszone van Berlijn. De bevoegde instantie weigerde kortaf op zijn verzoek in te gaan. Een tweede poging, thans bij de universiteit van Frankfurt am Main, oogstte evenmin bijval: men antwoordde hem dat hij emeritus was van Berlijn, niet van Frankfurt!

In 1947 verkreeg Schulz de Britse nationaliteit. Van een terugkeer naar Duitsland was voor hem geen sprake. Hij was weliswaar niet haatdragend maar geloofde niet in het herstel van de democratie nu hij vaststelde dat aan talrijke gewezen nazi's belangrijke functies werden toevertrouwd, onder meer in de universiteiten.

In 1949 kende de universiteit van Frankfurt am Main hem een eredoctoraat en een beperkte leeropdracht toe. Dit gebeurde op initiatief van de decaan van de rechtenfaculteit, de toekomstige (1958) eerste president van de toenmalige EEG-Commissie Walter Hallstein (1901-1982). In 1951 volgde zijn benoeming tot erehoogleraar aan de universiteit van Bonn. Hij was toen 72 en combineerde zijn colleges te Bonn met zijn *tutorials* voor Balliol College. Zijn ambtelijk statuut te Bonn maakte het mogelijk de uitbetaling van zijn pensioen geleidelijk te herstellen.

Fritz Schulz overleed in Oxford op 12 november 1957.

HOOFDSTUK 2

Friedrich (Fritz)-Alexander Mann (1907-1991)[11]
The legal aspect of money – een duurzaam succesverhaal

In dit tussenhoofdstuk na Fritz Schulz en voor Martin Wolff (hoofdstuk 3) bekijken we het meer opbeurende verhaal van advocaat F.A. Mann, die nog steeds universeel wordt erkend als de meest gezaghebbende auteur over monetair recht. Pikant detail is dat Mann in 1930-1933 aan de Friedrich-Wilhelms universiteit van Berlijn de assistent was van zowel Schulz als Wolff.

I

Friedrich (Fritz)-Alexander Mann, op 11 augustus 1907 geboren in het handelsstadje Frankenthal in de buurt van Mannheim, was het enige kind van Richard Mann en Ida Oppenheim. Vader, een bemiddeld advocaat gespecialiseerd in het handelsrecht, stamde uit een geslacht van Joodse bankiers en juristen. Een overgrootvader was een van de stichters van de bank Mann & Loeb, die in 1913 opging in een bank die later de Deutsche Bank werd. Ook moeder Ida Oppenheim stamde uit een Joodse bankiersdynastie: haar voorvader, de toen zeventienjarige Salomon Oppenheim (1772-1828), had in 1789 de familiebank te Bonn en daarna Keulen opgericht. Sedert 2010 maakt ook deze bank deel uit van de groep Deutsche Bank. Een ander voorzaat was Simcha Benjamin Cohen (1734-1816), grootrabbijn in Bonn in de 18de eeuw. Het gezin Mann praktizeerde de Joodse godsdienst niet maar respecteerde wél de aloude tradities.

Tijdens Manns adolescentiejaren heerste in Duitsland een ongehoorde monetaire chaos die een piek bereikte met de beruchte inflatie en muntdepreciatie van 1923: één dollar die in juli 1923 reeds goed was voor 760.000 mark kostte bijvoorbeeld in november van hetzelfde jaar 4.200 miljard

---

[11]   Verder: L.Collins, in: *Jurists Uprooted, o.c.*, pp. 381-440.

mark. In de van bankiersgenen voorziene bemiddelde familie Mann zorgde deze stand van zaken ongetwijfeld voor heel wat onrust en discussie. Mogelijk verklaart zulks waarom de onlangs afgestudeerde twintiger zich op de studie van het monetair recht stortte en pas 31 jaar oud de auteur werd van *The Legal Aspect of Money*, een standaardwerk (zeg maar een waar meesterwerk) dat men nog steeds aantreft op de werktafel van allen, waar ook ter wereld, die zich met monetaire kwesties inlaten.

F.A. Mann studeerde rechten aan de universiteiten van Genève, München en vooral Berlijn. In 1931 werd hij doctor in de rechten met een dissertatie over vennootschapsrecht ('de aankoop *in natura* van aandelen') die het jaar daarop in boekvorm werd gepubliceerd. Intussen was hij in Berlijn assistent geworden van de professoren Fritz Schulz (hoofdstuk 1) en Martin Wolff (hoofdstuk 3). Hij maakte er ook kennis met zijn toekomstige echtgenote Eleonore Ehrlich, assistente in strafrecht, die een van de eerste vrouwelijke *doctor iuris* van Duitsland werd.

Mann maakte zich klaar om vennoot te worden in een leidend advocatenkantoor te München toen in 1933 de georganiseerde Jodenvervolging een aanvang nam, met onder meer de salarisvermindering en de 'gedwongen overplaatsing' van prof. Fritz Schulz alsmede de brutale verhindering van de colleges van prof. Martin Wolff. Met zijn verloofde besloot hij om ten spoedigste naar Engeland te emigreren. Het advocatenkantoor gelastte hem daarom met de opening van een bijkantoor in Londen dat advies zou verstrekken over Duits recht.

II

Op 10 oktober 1933 huwden Fritz en Eleonore. Zes dagen later reisden zij reeds af naar Londen. Fritz, die toen 26 jaar was, schreef zich in aan de *London School of Economics and Political Science* waar hij het in 1938 tot *Master of Laws* bracht. Intussen was zijn boek over monetair recht bij de Oxford University Press verschenen. Het is thans aan zijn zesde uitgave toe (1938, 1953, 1970, 1981, 1992, 2005). De tekst werd tevens als dissertatie ingediend bij de universiteit van Londen die Mann in 1939 de bul van *Doctor of Laws* verleende.

Met de oorlogsverklaring van september 1939 achtte Mann het voorzichtig zijn gebruikelijke voornaam 'Fritz' door die van 'Francis' te vervangen. Anders dan de meeste overige émigrés werd hij niet als *Enemy Alien* gearresteerd en opgesloten: de politie van het dorpje in Surrey waar het gezin Mann woonde had inderdaad geweigerd hem aan te houden!

Na de oorlog werd Mann met de graad van luitenant-kolonel opgenomen in een officiële delegatie die het militair bestuur van de Britse bezettingszone in Duitsland moest adviseren. Hij werd vooral belast met de voorgenomen 'denazificatie' van het Duitse recht.

In 1940-1941 had Mann met succes de examens afgelegd om door de *Law Society* als *solicitor* te worden geregistreerd. Uiteindelijk kon hij pas na zijn naturalisatie in 1946 worden ingeschreven. Zijn praktijk nam gestadig toe in het kantoor dat nu de benaming 'Hardmann Phillips & Mann' voerde. In 1958 fusioneerde het met 'Herbert Smith' dat thans een van de voornaamste kantoren van *solicitors* is in Londen. Mann was er partner tot 1983, waarna hij nog als consultant actief bleef.

Bovenop de talloze cliënten in de Londense *City* was Mann ook de raadsman van buitenlandse staten, ondernemingen en particulieren. Met name de Belgische staat deed in twee belangrijke dossiers een beroep op zijn deskundigheid. In de zaak *Barcelona Traction* (Internationaal Hof, 1970) ging het om de 'diplomatieke bescherming' van de Belgische aandeelhouders van een in Spanje gevestigde en aldaar onrechtmatig faillietverklaarde vennootschap naar Canadees recht. De zaak *Young Loan* (internationaal arbitragecollege, 1980) had betrekking op de betaling van de Duitse externe schuld, waarbij een nauwkeurig juridisch onderscheid moest worden bepaald tussen de 'depreciatie' en de 'devaluatie' van een munt.

De relatie van Mann met de academische wereld was vrij ambigu. In 1945 weigerde hij het eervolle aanbod van een *Fellowship* aan het University College in Oxford, maar enkele jaren later was hij kandidaat voor de leerstoel van internationaal recht aan de universiteit van Londen waarvoor op dat tijdstip uiteindelijk niemand werd benoemd. Mogelijk vereiste zijn praktijk dat hij in Londen bleef wonen. Tijdens de jaren 1950 doceerde hij herhaaldelijk een leergang aan de *Académie de droit international* in Den Haag, waarna hij in 1960 erehoogleraar werd aan de universiteit van Bonn om er college te geven over Engels privaatrecht en internationaal handelsrecht.

Met de jaren stapelden zich de publieke eerbewijzen op: doctor honoris causa van de universiteiten van Kiel, Zürich en Oxford, lid van het *Institut de Droit International*, *Fellow of the British Academy*. Enkele maanden voor zijn overlijden werd hij nog *Queen's Counsel* (QC) ter ere. Elk jaar organiseert het advocatenkantoor 'Herbert Smith' in het *Old Hall* van Lincoln's Inn, samen met het British Institute of International and Comparative Law, een 'F.A. Mann Lecture' die op 19 november 2012 voor de 36ste maal plaatsvond.

Francis Mann overleed op 16 september 1991. Hij had nog onlangs het manuscript van de vijfde uitgave van zijn *The Legal Aspect of Money* (1992) kunnen voleindigen. Een zesde uitgave (892 pp.) met de titel *Mann on the Legal Aspect of Money* werd in 2005 door Manns collega *solicitor* Charles Proctor bezorgd.

Het lijdt weinig twijfel dat Francis Mann, afgezien van zijn persoonlijke hoedanigheden en talenten, deze uitzonderlijke loopbaan enkel kon opbouwen omdat hij reeds op zijn 26 jaar naar Londen emigreerde en er een nagenoeg identieke academische en professionele opleiding genoot als de inheemse would-be juristen.[12]

III

F.A. Mann publiceerde baanbrekende studies in diverse rechtsdiscriplines: internationaal privaatrecht, volkenrecht, vennootschapsrecht, monetair recht, Engels privaatrecht. Aan zijn (niet gepubliceerde) mémoires vertrouwde hij zijn opvatting toe over juridische publicaties:

Het heeft geen zin om iets te publiceren behalve zo de auteur iets nieuw kan meedelen en dit doet in een eenvoudige en heldere taal die alle lezers kunnen begrijpen. Artikels die het vigerende recht beschrijven of samenvatten komen uitzonderlijk ook voor publicatie in aanmerking, maar dan in principe enkel door beginnende auteurs. Met dit soort werk kan men weliswaar een academische reputatie starten, maar om deze te vestigen en te behouden is meer nodig.

Omdat Manns geschriften hun actualiteitswaarde niet hebben verloren, loont het de moeite een paar kenmerken ervan tegen het licht te houden.

° Bij de interpretatie en de duiding van juridische gegevens (feiten, wetten, verdragen, contracten enzovoort) redeneerde Mann steeds strikt-juridisch, d.i. zonder zijn denken te staven op, laat staan te sturen door, argumenten ontleend aan niet-juridische factoren, zoals bijv. de economie en de sociale wetenschappen ('though economic theory will not be disregarded, it is no disparagement of it to say that its usefulness for legal research is not very great'; eerste uitgave van *The Legal Aspect of Money*, 1938).

Deze methode van rechtsvinding strookte weinig met de geleidelijk heersende opvatting dat men rechtsregels telkens in hun maatschappelijke context moet benaderen. 'The era of legal self-sufficiency is past,' had de Harvard-decaan prof. Roscoe Pound (1870-1964) reeds in 1921 uitgeroepen.[13] Ook in het traditionele Engeland was het debat tussen de twee strekkingen erg levendig. Manns studiemakker (aan de LSE) en goede vriend, de Duitse émigré prof. Otto Kahn-Freund was als grondlegger van onder meer het Engelse collectief arbeidsrecht (zie hoofdstuk 4) een overtuigd

---

[12] Een nog jongere Duitse émigré, (Sir) Michael Kerr (1921-2002) bracht het tot *Lord Justice of Appeal* en president van de Engelse *Law Commission*. Op zijn 12 jaar vergezelde hij zijn Joodse ouders die eerst naar Zwitserland, later naar Engeland (1936) emigreerden.

[13] R. Pound, *An introduction to the philosophy of law*, rev. ed., 1954, p. 23. De oorspronkelijke tekst was het thema van lezingen van Pound in Yale Law School in 1921.

voorstander van de nieuwe theorie en voerde vinnige maar steeds vriend-schappelijke discussies met de niet te overtuigen Mann.

Een typisch voorbeeld van Manns methode betreft zijn juridische de-finitie van het geld.[14] Voor hem kunnen enkel de door de overheid inge-stelde 'wettige betaalmiddelen' (*legal tender*), d.w.z. muntstukken en bank-biljetten, als geld worden aangemerkt. Dit was en is nog steeds juridisch juist. Ook de wetgeving betreffende de euro bepaalt dat de rechtmatig in omloop gebrachte bankbiljetten in euro de enige zijn 'die in alle betrokken lidstaten de hoedanigheid van wettig betaalmiddel hebben' (basisverorde-ning van 3 mei 1998).

Het is nochtans duidelijk dat deze opvatting weinig verenigbaar is met het gegeven dat *in feite* de overgrote meerderheid (in bedragen) der betalin-gen niet meer met geld in deze beperkte betekenis worden verwezenlijkt, maar wél door middel van overschrijvingen tussen bankrekeningen, che-ques, betaalkaarten, zelfs elektronisch over internet. Ook Mann wist dit en zijn scherpzinnig juridisch denkvermogen reikte een geschikte oplossing aan die zijn principieel uitgangspunt niet te kort deed. Elkeen kan immers, zelfs stilzwijgend, het recht verzaken om met een 'wettig betaalmiddel' te worden voldaan. Deze verzaking kan bijvoorbeeld ook blijken uit het ge-geven dat partijen binnen hun handelsrelatie steeds met een cheque betaal-den of dat op factuur een bankrekeningnummer is vermeld.[15]

Dit voorbeeld getuigt van een professionalisme dat zich over twee stap-pen ontvouwt. In een eerste stap houdt Mann zich consequent aan de wetsbepaling van monetair recht, waarna hij in een tweede stap een beroep doet op de juiste toepassing van een andere discipline (het contractenrecht) om tot een maatschappelijk werkbaar besluit te komen.

° Sedert onheuglijke tijden bestond in het *common law* de regel dat een Engelse rechtbank enkel kan veroordelen tot betaling van een geldbedrag wanneer dit in Pond Sterling is uitgedrukt. Dit hield bijvoorbeeld in dat een partij die een schuldvordering in Deutsche Mark bezat en de onwillige schuldenaar voor een Engelse rechter dagvaardde, het bedrag in DM eerst in Pond Sterling moest converteren, zo niet werd de eis niet-ontvankelijk verklaard.

Zolang het Pond Sterling een stabiele munt was leverde deze regel wei-nig problemen op. Met de depreciatie, af en toe ook de devaluatie, van deze geldeenheid sedert de jaren 1930, groeide evenwel de onrust in de com-merciële en financiële kringen. Wanneer iemand contractueel recht heeft op betaling in een door hem 'sterk' (of anderszins voordelig) geachte munt,

14   F.A. Mann, *The legal aspect of money*, 5de uitg., 1992, pp. 5-6, 8 e.v., 80.
15   Zie verder ook: G. Schrans & R. Steennot, *Algemeen deel van het financieel recht*, 2003, p. 60.

is hij er uiteraard niet mee gediend wanneer hij nog enkel aanspraak kan maken op betaling in een weinig betrouwbare munt.

Omdat een identieke regel eveneens in andere Europese landen bestond (ook in België tot een wet van 12 juli 1991) nam de Raad van Europa in de jaren 1960 het initiatief om een verdrag voor te bereiden dat de rechtbanken van de lidstaten zou verplichten een veroordeling tot betalen uit te drukken in de contractueel overeengekomen geldeenheid. Het Verenigd Koninkrijk weigerde aan deze werkzaamheden deel te nemen. Niettemin werd Francis Mann op persoonlijke titel gevraagd de bevoegde commissie van de Raad als deskundige bij te staan. Door zijn wereldwijde praktijk wist hij dat de aloude regel niet meer verantwoord was in een periode van monetaire instabiliteit. Internationaal opererende ondernemingen aarzelden om een voorgenomen contract te sluiten indien zij er niet van verzekerd waren dat een eventuele rechterlijke veroordeling in de contractueel overeengekomen munt zou worden uitgedrukt. Met name in de Londense *City* was men erg misnoegd.

Mann had de regel fel bestreden vanaf de eerste uitgave (1938) van *The legal aspect of money*. Zijn argumentering overtuigde alleszins de vernieuwende Lord (Alfred-'Tom') Denning (1899-1999), president van het *Court of Appeal* van Engeland.[16] In een baanbrekend arrest van 1975 besliste deze hoogste rechtbank, met een uitdrukkelijke verwijzing naar Manns boek, dat voortaan rechterlijke beslissingen ook in een andere munt dan het pond mochten luiden. Het jaar daarop bevestigde het *House of Lords* deze rechtspraak, alweer met een verwijzing naar Mann. Hierbij moet men weten dat de hoogste rechtbanken van Engeland, alleszins nog in 1975-1976, zelden of nooit verwezen naar wetenschappelijke publicaties en zeker niet naar auteurs die nog in leven (of geen lid van de balie!) waren. Hoe dan ook, Mann commentarieerde terecht: 'a revolutionary change accomplished by the judiciary'. Later werd deze koerswijziging uitgebreid tot uitspraken van arbitrale rechtbanken, uitdrukkelijk met het doel Londens rol als internationaal centrum voor arbitrage te handhaven.

---

[16] Lord Denning waardeerde Mann hooglijk. In een van zijn talrijke boeken schreef hij: 'Of all my learned friends, Francis Mann is the most learned of all'.

HOOFDSTUK 3

Martin Wolff (1872-1953)[17]
De beste docent van Duitsland mocht geen college geven in Oxford

Prof. Martin Wolff, een der meest gerespecteerde Duitse hoogleraren, was 66 jaar toen hij naar Engeland emigreerde. Met veel moed en weinig geld poogde hij zich in Oxford verdienstelijk te maken, maar hij botste er meestal op een muur van welwillende onverschilligheid. Hij is de auteur van standaardwerken over internationaal privaatrecht.

I

Martin Wolff werd op 26 september 1872 te Berlijn geboren in het praktiserend Joodse gezin van de koopman Wilhelm Wolff en Lehna Ball. Hij studeerde rechten aan de Friedrich-Wilhelms universiteit van zijn geboortestad, bijkomend ook te Freiburg im Breisgau en München. In 1894 behaalde hij het doctoraat in de rechten met een thesis over Romeins recht die in boekvorm werd gepubliceerd. Hij voltooide tevens alle stageverplichtingen om een juridisch beroep te mogen uitoefenen en in 1900 werd zijn (eveneens gepubliceerde) dissertatie voor de *Habilitation* goedgekeurd. In afwachting van een benoeming werd hij *Privatdozent* te Berlijn. Tot daar een vrij traditioneel curriculum vitae.

Wilde 'men' in regeringskringen de loopbaan van de beloftevolle jonge Joodse jurist dwarsbomen? Het lijkt er wel op. In 1902 droeg de rechtenfaculteit van Freiburg im Breisgau hem voor als haar eerste kandidaat voor een benoeming, maar de minister liet zonder redengeving zijn keuze vallen op de tweede kandidaat. Ergens in het dossier was immers gepreciseerd dat Wolff een 'Israëliet' was … Het duurde alleszins van 1900 tot 1914 voor Wolff eindelijk een benoeming kreeg in de universiteit van Marburg. Een dermate lange wachttijd was erg ongebruikelijk en waarschijnlijk niet vreemd aan het antisemitisme dat reeds in talrijke kringen heerste.

---

[17] Verder: G. Dannemann, in: *Jurists Uprooted, o.c.,* pp. 441-461.

Met de val van het keizerrijk in 1918 en de opbouw van een democratische republiek waaide een nieuwe wind en werd Wolff benoemd aan de universiteit van Bonn. Intussen had hij als wetenschapper en docent reeds een internationale reputatie verworven, zodat de regering niet anders kon dan hem in 1921 te benoemen aan de prestigieuze universiteit van Berlijn. Hem werd een zware leeropdracht toevertrouwd: burgerlijk recht, handelsrecht, internationaal privaatrecht, buitenlands privaatrecht. Hij had een toppunt van zijn academische loopbaan bereikt toen het nazisme begin 1933 de macht veroverde.

Reeds in mei 1933 werden zijn colleges onder het schreeuwen van 'Juda verrecke' hardhandig verhinderd of onderbroken door nazigezinde studenten en militanten van de beruchte *Sturmabteilung* (SA). De toenmalige universiteitsrector nam Wolffs verdediging op zodat de colleges nog enige tijd konden doorgaan.

Met de benoeming van een nieuwe, nationaal-socialistische, faculteitsdecaan in april 1935 groeide nochtans de druk om Wolff te verwijderen. Onder het voorwendsel van een herstructurering van het leerprogramma werd Wolffs leerstoel afgeschaft, zodat deze voortaan 'ontheven was van academische verplichtingen' en zijn rechten op een rustpensioen moest laten gelden. Deze maatregel had geen wettelijke grond. Zij streed bovendien met het naziambtenarenstatuut van april 1933: de Joodsvijandige bepalingen van dit statuut waren immers niet van toepassing op hoogleraren die (zoals Wolff) voor de Eerste Wereldoorlog waren benoemd (zie hoofdstuk 13, 4.1).

Ook op financieel gebied was het gedwongen ontslag voor Wolff een ramp. Door het aanzienlijke aantal studenten die zijn colleges volgden (ook belangstellenden uit andere faculteiten), verdiende hij bovenop zijn salaris van 15.000 mark een aandeel in de collegegelden dat 35.000 mark bedroeg. Met het wegvallen van de collegegelden en de vervanging van het salaris door een rustpensioen, moest het gezin Wolff het voortaan met aanzienlijk minder stellen en zijn levensstijl drastisch aanpassen.

II

Sedert de eerste studentenacties van 1933 vermoedde Wolff dat zijn beste tijd voorbij was en dat er spoedig nog meer onheil op hem zou neervallen. Hij bleef nochtans in Berlijn wonen.

Wolff was gehuwd met een Engelse vrouw, Marguerite Jolowicz, een telg van een bemiddelde Joodse familie uit Londen. Haar broer prof. Herbert Jolowicz was hoogleraar in het Romeins recht aan het University College aldaar. Deze bracht Wolff in contact met het *Society for the Protection of Science and Learning* (SPSL; hoofdstuk 13, 5.2), een privéstichting die academici die het nazisme ontvluchtten financieel en administratief bijstond. Ter voorbereiding van het dossier van Martin Wolff vroeg het SPSL een referentie aan prof. Harold Gutteridge (1876-1953) die vergelijkend recht doceerde aan de universiteit van Cambridge. Deze was vol lof voor Wolffs wetenschappelijk werk maar achtte hem om allerlei redenen niet geschikt om aan een Engelse universiteit te doceren, respectievelijk een academische functie te vervullen in een residentiële universiteit als Cambridge of Oxford. Beter ware het hem een research-opdracht in Londen toe te vertrouwen.

Dit advies zette het SPSL niet aan tot grote ijver. Niettemin werden vooral door Sir William Beveridge (voorzitter van SPSL) diverse pogingen ondernomen, evenwel zonder succes. Aan Wolffs talenkennis kon dit niet liggen: hij sprak en schreef acceptabel Engels daar dit de taal was van zijn echtgenote en schoonfamilie. Zijn leeftijd (intussen 63) vormde op zichzelf evenmin een bezwaar voor wetenschappelijk onderzoek.

In werkelijkheid was Wolff het voorwerp van een erg nadelige geruchtenmolen zodat men in het SPSL ging twijfelen aan zijn rechtzinnigheid. Men verweet hem onder meer dat hij goede betrekkingen onderhield met de nazibureaucratie die hem immers herhaaldelijk toeliet buitenlandse reizen te ondernemen. Rijkskanselier Hitler zou Wolff zelfs een persoonlijke brief hebben geschreven om hem te danken voor zijn bijdrage tot de luister van de Duitse rechtswetenschap. Volgens stoute tongen had Wolff reeds voor 1933 voorgesteld dat de rechtenfaculteit een aantal Joodse assistenten moest afdanken ten einde de toenemende anti-Joodse hetze tegen professoren af te wenden. Men wees er tevens graag op dat Wolffs academische verwijdering enkel een gevolg was van zijn Joods-zijn. Anders dan bijvoorbeeld Fritz Schulz (hoofdstuk 1) kende men van hem geen politieke uitspraken tegen het nazisme. Men bracht ook in herinnering dat zijn echtgenote tot een vermogende familie behoorde, dat ze overigens een goedbetaald beroep uitoefende (freelance vertaalster) en dat Wolff zelf nog steeds zijn pensioen ontving zodat financiële steun niet echt onontbeerlijk was.

Nu het SPSL niet meer aan de kar duwde brachten vrienden Martin Wolff in contact met het vermaarde All Souls College in Oxford. Dit college vertoont het uitzonderlijke kenmerk dat het geen onderwijs verstrekt aan traditionele studenten (*undergraduates*) maar vooral gewijd is aan het wetenschappelijk onderzoek van zijn streng geselecteerde *Fellows*.

Begin 1938 werd Wolff uitgenodigd om er in het Engels een lezing te geven. Deze kon op veel bijval rekenen en werd in het *Law Quarterly Review* (1938) gepubliceerd. Enkele maanden later kende All Souls hem een onderzoekbeurs toe van 300 pond/jaar en stelde een werkkamer tot zijn beschikking. Nadat Wolff in Duitsland de (vrij uitzonderlijke) verzekering had gekregen dat hij na zijn emigratie het emeritaatspensioen zou blijven ontvangen, aanvaardde hij het aanbod van All Souls. Hij begon er te werken in juni 1938 en kon dit statuut behouden tot zijn overlijden in 1953. In 1947 verkreeg hij de Britse nationaliteit. Nooit keerde hij nog naar Duitsland terug.

Het gezin Wolff ging niet in Oxford wonen, wèl in een appartement in het fraaie West Hampstead te Londen. Marguerite oefende er haar beroep uit. Ze had onder meer reeds de *Principles of Roman Law* (1936) van Fritz Schulz vertaald (hoofdstuk 1) en F.A. Mann (hoofdstuk 2) bijgestaan in de redactie van *The legal aspect of money* (1938).

Wolff zelf huurde een kamer in Oxford die hij enkel gebruikte tijdens de traditionele onderwijsperiodes (de *Michaelmas, Hilary* en *Trinity terms*) van de universiteit. In Londen beschikte Wolff over een aantal wel voorziene bibliotheken om zijn onderzoek verder te zetten.

III

Tijdens zijn verblijf in Engeland was Martin Wolff een erg productief auteur. Naast medewerking aan Duitse en Franse boeken over burgerlijk recht en rechtsvergelijking, werkte hij doorlopend aan een nieuwe uitgave van zijn traktaat over het eigendoms- en zakenrecht dat voor het eerst in 1910 was verschenen en een ware bestseller werd (37.000 verkochte exemplaren tussen 1910 en 1923). Niettemin ging zijn aandacht vooral naar het schrijven van een vernieuwend standaardwerk over internationaal privaatrecht. Men weet dat deze discipline ondanks het predikaat 'internationaal' in elk land op diverse punten erg verschillend kan zijn. In 1933 had Wolff een gevierd werk over het *Duitse* internationaal privaatrecht gepubliceerd. Nu kwam het erop aan een heel ander boek te schrijven dat gebaseerd was op de specifieke kenmerken en rechtspraak van het *Engelse* internationaal privaatrecht. Het werk werd uitgegeven bij Oxford University Press in 1945.

Recensenten en deskundige lezers erkenden onmiddellijk de voornaamste eigenschappen van Wolffs geesteskind. Vooreerst zijn zoektocht naar 'principes'. Deze benadering was, althans in die periode, minder gebruikelijk in de Engelse juridische literatuur. Auteurs volstonden ermee de bestaande *case law* rationeel te ordenen, onderling te vergelijken en te verklaren. Met zijn sterk theoretische Duitse achtergrond kostte het Wolff weinig moeite om doorheen al die bomen het woud te ontwaren en te beschrijven, overigens tot aanzienlijke voldoening van zijn Engelse lezers. Ook de inlichtingen die hij verstrekte over het internationaal privaatrecht in Europese en andere landen vielen zeer in de smaak. Door hun mindere talenkennis hadden Engelse auteurs deze bron stelselmatig verzuimd. Dit alles bracht mee dat Wolff talrijke kwesties besprak die voor een Engelse rechtbank, of in een Engels boek, nooit waren behandeld. Men was het er over eens dat Wolffs boek veel vollediger en indringender was dan wat gewoonlijk in Engeland over internationaal privaatrecht was gepubliceerd.

De medaille had ook een keerzijde. Sommigen verweten Wolff dat hij eigenlijk beter was in het bespreken van problemen die in Engeland nog nooit waren gerezen dan in het begrijpen en duiden van de effectief bestaande *case law*. Zijn onvoldoende kennis van, en begrip voor, het *common law* en voor de relevante precedenten lijkt inderdaad het zwakste punt van zijn werk te zijn. Het traktaat noemde men 'not easy reading for a person trained in the common law'. Dit maakte het boek alleszins minder geschikt voor praktizijnen die immers in een mum van tijd geïnformeerd willen worden over de relevante precedenten. Ook voor studenten vond men het te moeilijk. We weten (hoofdstuk 1) dat de universiteiten de voorkeur gaven aan laagdrempelige handboeken met een niet specialistisch overzicht van de leerstof. In werkelijkheid genoot Wolffs boek meer bijval in bijvoorbeeld Frankrijk, waar de gezaghebbende auteur prof. Henri Batiffol (1905-1989) beklemtoonde hoe leerzaam het kon zijn een vergelijking te maken tussen Wolffs werken over het Duits en over het Engels internationaal privaatrecht. Ook Wolff zelf legde herhaaldelijk de nadruk op het verschil tussen deze twee boeken.

Niettemin kende het werk nog een tweede uitgave in 1950, thans bij Clarendon Press, een afdeling van Oxford University Press. Toen Francis Mann (hoofdstuk 2) zich na het overlijden van zijn leermeester aanbood om in te staan voor een derde uitgave, betoonde de uitgever geen belangstelling meer. Talrijke Duitse émigrés (Mann zelf; Otto Kahn-Freund, hoofdstuk 4; Clive Schmitthoff, hoofdstuk 8; Kurt Lipstein, hoofdstuk 12) publiceerden intussen over internationaal privaatrecht en er bestond nu minder behoefte aan het werk van Martin Wolff. Hoe dan ook, men kent ten minste tien uitspraken van hogere Engelse rechtbanken (inbegrepen het *House of Lords*) waarin het standaardwerk van Wolff goedkeurend wordt geciteerd, wat in die tijd erg uitzonderlijk was.

De editoriale onverschilligheid van Clarendon Press ergerde in aanzienlijke mate Wolffs gewezen doctorandus en assistent Francis Mann. Men liet, zo schreef deze in zijn mémoires, Wolffs meesterlijk traktaat 'een stille dood sterven'. Dezelfde Mann, die in Londen aan het hoofd stond van een drukke advocatenpraktijk en geregeld bij het gezin Wolff op bezoek ging, richtte nog andere verwijten aan het Oxford establishment. De universiteit beschikte met Wolff over de onbetwist meest getalenteerde rechtendocent van zijn generatie *(ein Meister an Klarheit)* die bovendien door zijn familiebanden een aardig mondje Engels sprak, en er werd hem niet eens de opportuniteit gegund om zijn ontzaglijke kennis en ervaring in colleges (zelfs niet in *tutorial*s) aan de Britse studenten over te dragen. Mann had het over 'a melancholy waste of genius'. Waarschijnlijk wist hij niet dat Wolff zich tegenover de nazibureaucratie ertoe had verbonden om in Engeland geen onderricht te verstrekken, op straffe van verval van zijn emeritaatspensioen. Deze reden viel nochtans weg toen alle Joodse émigrés van de Duitse nationaliteit werden beroofd, met het gevolg dat Wolff zijn aanspraken op dit pensioen verloor.

Ook Fritz Schulz (hoofdstuk 1) botste tegen deze muur van onbegrip. Beide professoren waren té gespecialiseerd om op beginnende rechtenstudenten te worden losgelaten.[18] Wolff mocht al gelukkig zijn dat men hem, weze het karig, gedurende vijftien jaar betaalde voor het ondernemen van wetenschappelijk onderzoek. Zoals Schulz werd Wolff evenmin *Fellow*, niet eens gewoon lid, van All Souls dat hem nochtans financieel steunde. In de rechtenfaculteit kende men hem evenmin een zetel toe. Deze afstandelijkheid verhinderde de universiteit van Oxford niet om Wolff kort voor zijn dood de eretitel van *Doctor of Civil Law* toe te kennen.

Martin Wolff overleed te Londen op 20 juli 1953. Hij had nog onlangs het manuscript van de derde uitgave van zijn *Deutsches Internationales Privatrecht* alsmede de tiende uitgave van *Sachenrecht* kunnen voltooien.

---

[18] De Duits-Joodse klassiek filoloog Eduard Fraenkel (1888-1970) trof het beter. Hij emigreerde in 1933 en werd reeds het jaar daarop in de universiteit van Oxford benoemd tot hoogleraar, titularis van de leerstoel Latijn. Voor een mogelijke verklaring, zie hoofdstuk 13, nr. 6.23-6.3.

HOOFDSTUK 4

Otto Kahn-Freund (1900-1979)[19]
De 'black letter law' zegt niet alles

Dit wordt opnieuw een indrukwekkend succesverhaal, thans volop in de universitaire wereld en met bijzondere aandacht voor het collectief arbeidsrecht. Otto Kahn-Freund was een volleerd jurist die, anders dan zijn goede vriend Francis Mann (hoofdstuk 2), geen genoegen nam met de black letter law, *d.w.z. de rechtsregels die men in de wetboeken en de beslissingen van rechtbanken aantreft. Zijn belangstelling ging veeleer naar de maatschappelijke oorsprong van rechtsregels en hun sociaal-economische functie in de samenleving.*

I

Otto Kahn-Freund werd op 17 november 1900 te Frankfurt am Main geboren als het enige kind van ouders die behoorden tot de vermogende Joodse sociale en intellectuele bovenlaag van de stad. Ze praktiseerden de Joodse godsdienst weliswaar niet, maar men bleven gehecht aan de voorouderlijke tradities. Otto kreeg een verzorgde opvoeding thuis en in het selecte Goethe Gymnasium waar hij ook enkele talen aanleerde. Na legerdienst tijdens de Eerste Wereldoorlog ging hij rechten én geschiedenis studeren aan de universiteiten van Heidelberg, Leipzig en Frankfurt am Main. Daarna vervulde hij van 1923 tot 1927 de stage die vereist was om een juridisch beroep te kunnen uitoefenen.

Intussen was deze *grand bourgeois* lid geworden van de sociaal-democratische partij. Hij werd spoedig medewerker van een intellectueel leidende figuur van de partij, Hugo Sinzheimer (1875-1945), die sedert het begin van de eeuw een doctrine poogde uit te bouwen over de juridische grondslag van collectieve arbeidsovereenkomsten tussen werkgevers en vakbonden. Otto's opdrachten aan de zijde van Sinzheimer hadden een beslissende invloed op de ontwikkeling van zijn loopbaan. Dit bleek reeds uit zijn in 1925 behaalde doctoraat in de rechten met een (in 1928 in boekvorm

---

[19] Verder: M. Freedland in: *Jurists Uprooted, o.c.,* pp. 299-323.

gepubliceerde) dissertatie over de normatieve gevolgen van collectieve arbeidsovereenkomsten.

Anders dan tal van zijn vrienden koos Kahn-Freund niet voor een carrière als advocaat, ambtenaar of hoogleraar. Omdat hij een daadwerkelijke invloed wilde uitoefenen op de praktische verwezenlijking van zijn opvattingen, aanvaardde hij in 1928 een benoeming tot rechter in het *Arbeitsgericht* te Berlijn. De geleidelijke verrechtsing van de Weimarrepubliek verontrustte hem zeer en hij publiceerde enkele teksten die de gevaren van het fascisme aankondigden.

Zijn ervaring als beginnend arbeidsrechter leerde hem ook dat het recht vaak een dubbel gelaat vertoont: achter het gordijn van uiterlijk ongewijzigde regels (de *black letter law*) kon immers een wezenlijke transformatie van de sociaal-economische verhoudingen binnen de samenleving schuil gaan. Deze vaststelling zou zijn denken blijvend bepalen.

Enige weken (maart 1933) na de verovering van de macht door de nazi's velde hij een vonnis dat bij de nieuwe meesters als een kaakslag overkwam. Hij vernietigde inderdaad het ontslag van drie technische bedienden van de openbare radio-omroep aan wie de regering verweet dat zij lid, minstens sympathisant, van de communistische partij waren zodat men mocht vermoeden dat zij in de toekomst radio-uitzendingen technisch zouden saboteren.

Rechter Kahn-Freund werd op staande voet geschorst en kort erna ontslagen als lid van de rechterlijke macht.[20] Voortaan stond hij onder het permanent toezicht van de Gestapo.

II

Otto en zijn echtgenote Elisabeth (Liesel) Klaiss zagen spoedig in dat zij, zoals zoveel andere Joodse vrienden en collega's, geen toekomst meer hadden in dit regime. Reeds in juni reisden zij onder het mom van een vakantietrip naar Engeland om er in werkelijkheid informatie in te winnen over de mogelijkheid om na een eventuele emigratie voor Otto een passende juridische betrekking te vinden. Tijdens hun afwezigheid plunderden leden van de *Sturmabteilung* (SA) hun woning in Berlijn, zodat ze besloten niet meer naar Duitsland terug te keren.

---

[20] Sommige magistraten hadden meer geluk. Zo bleef de Joodse rechter Ernst Hess (1890-1983) uit Düsseldorf krachtens een persoonlijk bevel van de Führer in alle opzichten ongemoeid omdat hij tijdens de Eerste Wereldoorlog tijdelijk bevelhebber was van de compagnie waarin Adolf Hitler dienst deed. Hess werd na 1941 dwangarbeider, overleefde de nazitijd en werd nog spoorwegdirecteur in Frankfurt am Main.

Otto schreef zich onmiddellijk in aan de London School of Economics and Political Science (LSE) dat hem reeds in 1935 het diploma van *Master of Laws* afleverde. Tijdens deze periode sloot hij een levenslange vriendschap met zijn medestudent F.A. Mann (hoofdstuk 2). Het jonge gezin voorzag in zijn levensonderhoud door een maandelijkse toelage van de *Workers' Educational Association*.

In 1936 werd Otto als *barrister* aangenomen in de *Inn of Court* Middle Temple en tot *Lecturer* benoemd aan de LSE waar hij het in 1951 tot hoogleraar bracht.

Otto en Liesel verwierven in 1940 de Britse nationaliteit zodat zij op de valreep niet in aanmerking kwamen voor een aanhouding en opsluiting als *Enemy Alien*. Integendeel, in 1940-1941 zat Otto de 'commissie van Duitse emigranten' voor die de regering moest adviseren over de invrijheidstelling van geïnterneerde émigrés.

Intussen publiceerde Otto talrijke geschriften en hield hij toespraken (onder meer voor de BBC en talrijke legereenheden) om het nazisme te bestrijden. Om zijn nog in Duitsland wonende verwanten te beschermen gebruikte hij hierbij een schuilnaam. Hij was intussen lid geworden van de Britse Labour partij waarin hij herhaaldelijk het 'consulting committee for German questions' voorzat.

Zoals Mann maakte hij in 1946-1947 deel uit van een officiële delegatie in het bezette Duitsland. Omdat hij vaststelde dat aan talrijke gewezen nazi's opnieuw aanzienlijke verantwoordelijkheden werden toevertrouwd besloot hij voortaan de contacten met zijn geboorteland op afstand te houden.

Kahn-Freunds belangstelling voor het internationaal privaatrecht begon met de jaarlijkse overzichten van rechtspraak die hij publiceerde in het door LSE uitgegeven *Annual survey of English law*. Hij werd tevens lid van de redactie van het *Modern Law Review* van LSE. Het hoge niveau van zijn bijdragen over het internationaal privaatrecht had tot gevolg dat hij in 1958 werd gevraagd als medeauteur van hét Engelse standaardwerk over deze discipline, *Dicey's Conflict of Laws*, later *Dicey and Morris on Conflict of Laws*, boeken die bestemd waren voor praktizijnen en onderzoekers. Ook in de *Académie de droit international* in Den Haag doceerde hij herhaaldelijk een cursus over internationaal privaatrecht. Zoals onder meer ook de émigrés Francis Mann (hoofdstuk 2), Martin Wolff (hoofdstuk 3), Clive Schmitthoff (hoofdstuk 8) en Kurt Lipstein (hoofdstuk 12) droeg hij met zijn stevige Duitse achtergrond bij tot de intellectuele volwassenheid van deze discipline in Engeland.

In 1964 werd Kahn-Freund verkozen tot de prestigieuze *Chair of Comparative Law* van de universiteit van Oxford waar hij meteen ook *Fellow* van Brasenose College werd. Onmiddellijk drukte hij zijn stempel op het onderwijs van de rechtsvergelijking. Hij zou zich niet inlaten (wat dacht men wel?) met de 'black letter law' van de diverse landen, d.w.z. de blote teksten van de wet, de rechtspraak en de geleerde auteurs – dus géén 'niceties of comparison of doctrinal legal reasoning'. Zijn aandacht zou vooral gaan naar de vergelijkende sociaal-economische relevantie en effectiviteit van de nationale regelingen.

In enkele lezingen die hij in 1974 gaf (*On uses and misuses of comparative law*) paste hij zijn uitgangspunt toe op de zgn. 'transplantatie' aantal van behoorlijk functionerende regelingen van het ene land naar een ander. Aan de hand van enkele sprekende voorbeelden (en citaten van Montesquieu…) toonde hij aan dat een regeling die behoorlijk werkt in een bepaald land radicaal fout kan lopen indien zij 'zomaar' in een ander land wordt geïntroduceerd.

Een 'transplantatie' is volgens Kahn-Freund enkel verantwoord indien de plaatselijke sociaal-economische factoren zich daartoe lenen. De kwestie moet functioneel en empirisch worden benaderd, niet op basis van een 'mystiek van doctrinaal universalisme'.

III

Intussen was Kahn-Freunds belangstelling voor het collectief arbeidsrecht uiteraard levendig gebleven en verdiepte hij zich in de wetgeving en vooral de complexe praktijk van de arbeidsonderhandelingen in Engeland.

Kahn-Freund had vastgesteld dat de regulering der arbeidsverhoudingen in Groot-Brittannië en de continentale landen ten minste twee belangrijke verschilpunten vertoonde:

- op het continent werd deze regulering alleszins voor wezenlijk geachte materies door de wetgever verzekerd, in Groot-Brittannië vooral door collectieve arbeidsovereenkomsten;
- waar men op het continent niettemin collectieve overeenkomsten sloot werden deze onder bepaalde voorwaarden door de staat algemeen verbindend en afdwingbaar gemaakt, terwijl dit niet zo was (behalve tijdens de Tweede Wereldoorlog) aan de overkant van het Kanaal waar de talrijke zelfstandige vakbonden een veelheid aan drukkingsmiddelen konden gebruiken om de naleving van collectieve overeenkomsten *in feite* af te dwingen.

Deze vaststellingen golden nochtans niet voor de sociale zekerheid die om evidente redenen (de financiering) zowel op het continent als in Groot-Brittannië door de wetgever wordt gereguleerd. Kahn-Freund identificeerde een aantal voordelen van het Britse stelsel:

- het vereiste geen normatieve tussenkomst van de wetgever nu de fei-

telijke macht van de diverse vakbonden volstond om het onevenwicht tussen werkgevers en werknemers te herstellen;
- de werknemers werden in dit stelsel beter beschermd omdat 'de staat niet kan terugnemen wat hij niet zelf heeft gegeven';
- het stelsel was tevens flexibel omdat collectieve overeenkomsten veel sneller dan een wet aan de wisselende omstandigheden kunnen worden aangepast.

Aan deze vaststellingen gaf hij vanaf de jaren 1950 een doctrinale en zelfs normatieve strekking in zijn menigvuldige geschriften over wat hij *collective 'laissez-faire'* noemde. Kahn-Freunds juridische (en politieke) strategie om zijn leer alleszins voor juristen acceptabel te maken, verbond in eenzelfde denkstructuur zowel de juridische niet-afdwingbaarheid van de afspraak tussen werkgevers en vakbonden als de strikt-normatieve afdwingbaarheid van de door deze afspraak vastgestelde arbeidsvoorwaarden. *Quid pro quo?* Mogelijk had hij ook een politieke bijbedoeling, te weten het samenbrengen van de aloude Britse laissez-faire traditie met de arbeidsbeschermende doeleinden van Labour.

Waar Kahn-Freund een veralgemening van dit stelsel bepleitte kwam nochtans een fundamenteel bezwaar aan het oppervlak. Omdat in Groot-Brittannië de collectieve overeenkomsten enkel verbindend waren voor de werkgevers enerzijds en de vakbonden respectievelijk hun leden anderzijds werd in feite een structurele ongelijke behandeling ingevoerd tussen gesyndiceerde werknemers en deze die geen lid waren van een vakbond. Het onderscheid was vooral pijnlijk voor vrouwelijke werknemers (met een vrij lage syndikalisatiegraad) en voor het personeel in sectoren waarvan de werknemers om allerlei redenen minder vaak lid werden van een vakbond. Dit bezwaar bestond uiteraard niet in de landen waar de collectieve arbeidsovereenkomsten krachtens de wet door de overheid *algemeen verbindend* werden verklaard.

Omdat de Britse regeringen vanaf de jaren 1970 een groter belang gingen hechten aan een sturend economisch beleid, werden steeds meer wetten goedgekeurd die ook gevolgen hadden voor de arbeidsverhoudingen. Dit verminderde de relevantie van collectieve arbeidsovereenkomsten die zo een toenemend deel van hun bestaansreden zagen wegglippen.

Met de antivakbond-regeringen van Margaret Thatcher vanaf 1979 slonken bovendien de macht en de representativiteit van de vakbonden. In 1979 waren 60% van de werknemers lid van een vakbond, tegen nog 30% in 1997 (aanvangsjaar van de Labour-regering onder Tony Blair). Kahn-Freunds *collective 'laissez-faire'* leek toen alleszins erg achterhaald.

Intussen had Kahn-Freund vrij sceptisch gereageerd op het zgn. 'Bullock Report' (*Report of the committee of inquiry on industrial democracy*, 1977) dat in opdracht van de laatste regering Harold Wilson voorstelde in de raad van bestuur van particuliere vennootschappen met meer dan 2.000 personeelsleden evenveel vertegenwoordigers van de werknemers op te nemen als verkozenen van de aandeelhouders. Kahn-Freund vreesde dat door de nieuwe coalitie-formule een bres zou worden geslagen in de traditie van de meer confronterende collectieve arbeidsonderhandelingen (*collective 'laissez-faire'*). Vooral betwistte hij dat de vertegenwoordigers van de aandeelhouders (de 'eigenaars' van de vennootschap) en van de werknemers konden worden verenigd achter een gemeenschappelijk 'vennootschapsbelang' nu de aandeelhouders vooral uit waren op een winstmaximalisatie die niet steeds verenigbaar was met de belangen van de werknemers. Kahn-Freund erkende dat zijn scepticisme mede gebaseerd was op de mislukte eerste pogingen tot *Mitbestimmung* tijdens de Weimarrepubliek.

Hoe dan ook, algemeen wordt erkend dat Otto Kahn-Freund aan het Engelse arbeidsrecht zijn adelbrieven bezorgde.

IV

Na zijn emeritaat aan de universiteit van Oxford bleef Kahn-Freund wetenschappelijk erg actief. De honneurs stormden nu ook op hem toe: *Queen's Cousel* (QC) ter ere, *Fellow of the British Academy* en doctor honoris causa van de universiteiten van Bonn, Brussel, Cambridge, Leuven, Leicester, Parijs, Stockholm en York (Toronto). In 1976 werd hij tot ridder (*Knight*) geslagen ('for services to Labour law') zodat men hem voortaan als 'Sir Otto' moest aanspreken. Dit tastte zijn gebruikelijke nederigheid niet aan, een kwaliteit die hij ook met grote wijsheid op het recht toepaste: 'I regard law as a secundary force in human affairs'.

Otto Kahn-Freund overleed in Oxford op 16 augustus 1979. Bij testament had hij zijn omvangrijke bibliotheek over arbeidsrecht overgemaakt aan de universitaire *Bodleian Library*.

HOOFDSTUK 5

Fritz Pringsheim (1882-1967)[21]
Deze neef van Thomas Mann was in Oxford niet geliefd

De trotse Duits-nationalist prof. F. Pringsheim bleef te lang in nazi-Duitsland en kon zich nog moeilijk aanpassen aan het armtierige bestaan van een miskend academicus in Oxford. Enige levensvreugde herontdekte hij pas toen hij na de oorlog college mocht gaan geven aan zijn studenten in Freiburg im Breisgau.

I

De Joodse aristocraat prof. Fritz Pringsheim had een beeldschone en verstandige nicht Katia Pringsheim (1883-1980) die opgroeide in het imposante 'Palais Pringsheim' te Berlijn en de echtgenote werd van de Duitse Nobelprijswinnaar Thomas Mann (1875-1955). Fritz en Katia waren afstammelingen van Mendel ben Chaïm Pringsheim die, hoewel Jood, in 1753 (ten tijde van de 'liberale' koning van Pruisen Frederik de Grote) in Silezië een indrukwekkend vermogen kon opstapelen met het brouwen van bier en het stoken van brandewijn. Hij werd eigenaar van een middeleeuws slot en nam de levensstijl aan van de plaatselijke edellieden. Zijn kinderen en verdere nakomelingen bleven lang gefortuneerd en bezaten veelal een hoog intellectueel niveau. Fritz' vader Hugo (1845-1915) die in Neder-Silezië een feodaal *Rittergut* bewoonde en voor de wintermaanden een stadspaleis in Breslau bezat, kende men vooral als een *gentleman-farmer*: het paardrijden, de jacht en het onderhoud van het kasteelpark vulden zijn dagen. Het intellectueel kapitaal verdween evenwel niet uit de familiale genen: vier zonen uit zijn huwelijk met Hedwig Johanna Heymann (1856-1938) werden hoogleraar, de dochter huwde er een. In het geslacht Pringsheim beleed men niet langer de 'Mozaïsche wet', maar de aloude tradities werden gerespecteerd. Sommige takken van de familie traden toe tot de protestantse evangelische kerk.

---

21 Verder: T. Honoré, in: *Jurists Uprooted, o.c.*, pp. 205-232.

II

Fritz, de derde zoon van Hugo en Hedwig Pringsheim, geboren op 7 oktober 1882, werd in de lutherse godsdienst opgevoed, eerst met thuisonderricht, later aan het gymnasium in Breslau. Een 'goed leerling' was hij alleszins niet. Meer dan eens moest hij een jaar overdoen en hij was reeds twintig toen hij eindelijk in het bezit kwam van het *Abitur* (afstudeergetuigschrift). Niet goed wetend welke universitaire studies aan te vangen, volgde hij de raad van enkele familieleden en koos hij de rechten die hij voltooide aan de universiteiten van München, Heidelberg en Breslau. Pringsheim voelde zich spoedig door deze studierichting gebiologeerd, een passie die hem heel zijn leven in haar greep hield.

Terwijl hij de professionele stage volgde, redigeerde hij ook een dissertatie over een kwestie van erfrecht volgens de regeling in het recente (1900) *Bürgerliches Gesetzbuch* (BGB). De doctorsbul ontving hij van de universiteit van Breslau in 1906. Het werk (dat ook in boekvorm verscheen) oogstte heel wat academische bijval, maar Pringsheims stelling kon uiteindelijk de hoogste rechtbank (het *Reichsgericht*) niet overtuigen.

Eenmaal de stage achter de rug nam Fritz Pringsheim twee belangrijke beslissingen. Hij huwde de spitante bankiersdochter Katarina (Kaethe) Rosenheim die in een kostschool in Schotland had gestudeerd. En het jonge paar ging in Leipzig wonen, waar Fritz werd opgenomen in een denktank rond prof. Ludwig Mitteis (1859-1921), een rechtshistoricus die een aanzienlijke faam genoot als specialist van het oud-Griekse recht en van de (erbij aansluitende) papyrologie.

Een van de centrale discussiepunten binnen deze kring betrof de vraag welke richting de studie van het Romeins recht moest uitgaan nu dit sedert de invoering van het BGB geen positief recht meer was (zie hoofdstuk 1). Een van de mogelijke pistes bekoorde zowel Mitteis als Pringsheim, te weten de invloed van het Griekse en overige 'Oosterse' recht op het middeleeuws Romeins recht. Zo komt het dat Pringsheim de studie ondernam van de 9de-eeuwse *Basilica*, een op last van keizer Basil van Macedonië in het Grieks gesteld 'restatement' (zestig boekdelen) van de 6de-eeuwse codificatie van Justinianus. Heel zijn leven zou Pringsheim, weze het met tussenpozen, bezig blijven met de *Basilica*. Zijn onderzoek van het Griekse recht leverde hem overigens ook het onderwerp van de dissertatie die hij in 1915 bij de universiteit van Freiburg im Breisgau indiende met het oog op het behalen van de *Habilitation*. De thesis (die in 1916 in boekvorm verscheen) had betrekking op de 'koop met andermans geld' naar oud-Grieks recht.

Intussen was de Eerste Wereldoorlog uitgebroken en had Pringsheim onmiddellijk dienst genomen als luitenant in het keizerlijk leger. Gedurende

praktisch de hele oorlog nam hij deel aan campagnes zowel aan het weste-
lijk als aan het oostelijk front, onder meer ook in Vlaanderen. In 1915 kreeg
hij een driedaags verlof om zijn thesis voor de *Habilitation* te verdedigen.

Met zijn frontstrepen en IJzeren Kruis Eerste Klasse hernam de trotse
Frontkämpfer (frontsoldaat) na de oorlog zijn academische bezigheden.

In 1919 kreeg hij een benoeming tot buitengewoon hoogleraar te
Freiburg im Breisgau – 'buitengewoon' d.i. deeltijds omdat hij eerst bepaalde onderzoekstaken wilde voltooien. In 1923 werd hij gewoon hoogleraar in de rechtsgeschiedenis aan de universiteit van Göttingen als opvolger
van Fritz Schulz (hoofdstuk 1). Onder zijn studenten telde hij onder meer
Franz Wieacker (1908-1994) en de jonge Engelse jurist Harry Lawson
(1897-1983) die beiden in de Verantwoording van dit boek ter sprake
kwamen.

In 1929 volgde zijn terugkeer naar de universiteit van Freiburg im
Breisgau waar hij zich mentaal en affectief thuis voelde. Tijdens deze periode werd hij herhaaldelijk voor gastcolleges uitgenodigd door de universiteiten van Oxford en Cambridge. Wegens zijn voorliefde voor het
Romeins recht van de 'klassieke periode' (het *Classical Roman Law* van
F. Schulz; hoofdstuk 1) waardeerde hij hooglijk het *common law* en het
Engels rechtsstelsel met zijn ervaren rechters ('The inner relationship
between English and Roman law', *The Cambridge Law Journal*, 1935). 'Het
is verkieslijker "slecht recht" en bekwame rechters te hebben, veeleer dan
"goed recht" en onbeholpen rechters', liet hij zich eens ontvallen. Voor hem
waren overigens 'rechters belangrijker dan professoren'.

Met de eerste Jodenvervolgingen in 1933 had Pringsheim van de minister de verzekering gekregen dat hij als Jood geen risico liep vermits de
naziwetgeving op het openbaar ambt bepaalde dat de Joodsvijandige maatregelen niet van toepassing waren op hoogleraren die tijdens de oorlog in
het keizerlijk leger hadden gediend (hoofdstuk 13, 4.1).

Zoals Fritz Schulz (hoofdstuk 1) protesteerde ook Pringsheim openlijk tegen het voornemen van de nazi's om het Romeins recht uit de
'Germaanse' leefwereld te verbannen. De studie van het Romeins recht,
zo stelde hij, mocht evenmin als die van Aristoteles of van de renaissance
worden afgeschaft.

De Nuremberg-wetten van september-oktober 1935 maakten een einde
aan Pringsheims gemoedsrust: krachtens een uitvoeringsverordening van
het *Reichsbürgergesetz* van 15 september 1935 mochten Joden niet meer aan
een Duitse universiteit doceren. Reeds eind 1935 werd hij als hoogleraar
geschorst en in april 1936 volgde het definitief ontslag.

Als trots nationalist en gewezen *Frontkämpfer* voelde Pringsheim zich
door zijn vaderland verraden.

III

Het gezin Pringsheim verhuisde naar Berlijn waar het gedurende een twee-tal jaren niet meer werd verontrust. Integendeel, de 'Pruisische Akademie' kende Pringsheim een subsidie toe om een wetenschappelijke uitgave van de *Basilica* voor te bereiden.

Weinig dagen na zijn schorsing in Freiburg im Breisgau had hij reeds contact opgenomen met de *Society for the Protection of Science and Learning* (SPSL) te Londen (zie hoofdstuk 13, 5.2) om te informeren naar geschikte universitaire betrekkingen in Engeland. Ook prof. Herbert Jolowicz (de Londense zwager van prof. Martin Wolff) en prof. William-W. Buckland, hoogleraar Romeins recht te Cambridge, polsten naar opportuniteiten. Bij afwezigheid van enige financiële geruststelling bleef Pringsheim nochtans liever in Berlijn.

Intussen waren de kinderen Pringsheim veiligheidshalve aan Britse kost-scholen toevertrouwd. Zo werd bijvoorbeeld zoon Richard (veertien jaar) ingeschreven in het college van Gordonstoun in Schotland dat in 1934 was opgericht door Pringsheims jeugdvriend de pedagoog Kurt Hahn (1886-1974), overigens een fel bestrijder van het nazisme. Deze school genoot nog enige bekendheid omdat ook de Britse Duke of Edinburgh, toekomstig gemaal van de koningin, en zijn zoon kroonprins Charles, Prince of Wales, er studeerden.

In juni 1938 ontving Pringsheim, door bemiddeling en op het initiatief van zijn oud-student Harry Lawson, een vast voorstel vanwege het Merton College in Oxford. Dit was bereid hem gedurende vijf jaar een salaris van 200 pond per jaar te betalen mits hij een wetenschappelijke uitgave van de *Basilica* voltooide en college gaf voor de rechtenstudenten van de univer-siteit. Pringsheim achtte het voorgestelde bedrag nochtans ontoereikend omdat hij, bovenop zijn gezin, ook financieel instond voor zijn oudste broer in Zwitserland en zijn zus in Londen.

Alles veranderde plots met de beruchte *Reichkristallnacht* van 9 en 10 november 1938. Omdat de Führer en de SS een vijandelijke reactie van het buitenland verwachtten, werden talrijke Joodse notabelen, waaron-der Pringsheim, als gijzelaars aangehouden en in het concentratiekamp Sachsenhausen-Oranienburg (bij Berlijn) opgesloten. Pringsheim kwam na een drietal weken weer vrij dankzij de tussenkomst van een invloedrijk oud-student.

Deze gebeurtenissen deden hem inzien dat een spoedige, minstens tij-delijke emigratie een noodzaak was geworden. Zonder verwijl deelde hij het SPSL en Merton College mee dat hij nu onvoorwaardelijk instemde met het eerder afgewezen voorstel.

IV

Pringsheim en zijn gezinsleden die niet reeds in Engeland verbleven, arriveerden in Oxford op 4 april 1939. Er was heel wat tijd verloren gegaan met het verzamelen van de uit- en inreisdocumenten en met de verhuis van zijn nagenoeg volledige bibliotheek.

Pringsheim kreeg in Merton College weliswaar de titel van *Faculty Lecturer* maar tot het einde van de oorlog werd hem niet gevraagd college te geven. Vanaf de Engelse oorlogsverklaring op 3 september 1939 was hij inderdaad een *Enemy Alien* aan wie Oxford bezwaarlijk een leeropdracht kon toevertrouwen. Deze afwezigheid van enig contact met studenten stemde Pringsheim heel bitter.

Tijdens de paasvakantie van 1940 deed zich bovendien een ernstig incident voor dat Pringsheim en zijn gezin in een bijzonder slecht daglicht plaatste bij het universiteitsbestuur en de bevolking van Oxford. De plaatselijke politie ontdekte inderdaad toevallig dat het gezin Pringsheim een radiotoestel bezat (omdat zoon Richard graag naar jazz luisterde) dat niet, zoals het toen hoorde, bij de overheid was aangegeven en waarvoor ook geen luistergeld werd betaald. Bovendien sloot de politie niet uit dat dit toestel ook dienst deed als geheime zender naar Duitsland. Hoe dan ook, op bevel van het *Home Office* (ministerie van binnenlandse zaken) werden Fritz Pringsheim en twee van zijn zonen gearresteerd en opgesloten in een kamp op het eiland Man. Pringsheims verblijf aldaar duurde zeven maanden.

Voortaan werden Pringsheim en de zijnen het voorwerp van verdenking en achterklap vanwege de Oxfordse bevolking. Wellicht droeg de persoon van Pringsheim bij tot deze negatieve perceptie. Hij bezat (zo ervoeren ook zijn vrienden) een stijf, afstandelijk en weinig tolerant karakter. Hij bleef bijzonder trots een Duitser te zijn en proclameerde dit overal zonder enige nuancering. Overigens was hij ook fier een Jood te zijn hoewel hij moeilijk zijn afkeer voor de *Ostjuden* kon verbergen.[22] Hierbij mag men niet over het hoofd zien dat het gezin Pringsheim in Oxford een schamel, onbemiddeld, ontredderd en derhalve stresserend bestaan kende, alleszins wanneer men het vergeleek met de familiale welstand van weleer.

In 1945 kwam er een einde aan de financiële regeling met Merton College. Omdat zich na het einde van de oorlog talrijke afgezwaaide militairen als rechtenstudenten inschreven, kon Pringsheim nu aan de kost komen met het houden van *tutorials* in een aantal *colleges*.

---

[22] *Ostjuden* (*askenazim* zoals de meeste Duitse Joden), afkomstig uit landen van Centraal- en Oost-Europa, waren minder 'geassimileerd' en doorgaans armer dan de Duitse Joden en werden door dezen vaak als minderwaardig beschouwd.

Intussen beëindigde hij zijn belangrijkste werk, *The Greek Law of Sale* (588 pp.) dat in 1950 werd gepubliceerd door een uitgever uit Weimar in de toenmalige DDR die er als staatsbedrijf geen erg in had dat dit boek uiteraard nooit een bestseller zou worden.

V

In 1946 verzocht de decaan van de Freiburger rechtenfaculteit Pringsheim enkele gastcolleges te komen houden in de universiteit waaruit hij in 1935 was verwijderd. Pringsheim stemde onmiddellijk in hoewel hij ervoor beducht was dat het antisemitisme in zijn geboorteland nog niet geheel was uitgeroeid. Hoe dan ook, hij wilde van de geboden kans vooral gebruik maken om de aankomende Duitse jeugd met kracht te overtuigen van de voordelen van een pluralistische democratie. Ook een ruimer publiek poogde hij te beïnvloeden met enkele lezingen over de werking van de democratie in Engeland. In Freiburg im Breisgau, vooral met zijn studenten, had Pringsheim het volledig naar zijn zin.

Vanaf 1947 kreeg de band met de universiteit van Freiburg im Breisgau een vastere vorm en werd Pringsheim benoemd tot gasthoogleraar. In 1953-1954 werd hij er zelfs faculteitsdecaan. Voortaan verdeelde hij zijn tijd tussen zijn *tutorials* in Oxford en zijn colleges over het contractenrecht en de geschiedenis van het Romeins recht in Freiburg im Breisgau. Nog op hoge leeftijd verplaatste hij zich in beide steden met de fiets.

In 1961 publiceerden de universiteiten van Freiburg im Breisgau, Heidelberg en Göttingen gezamenlijk de 'verzamelde werken' (2 banden) van F. Pringsheim. Deze kon zich bovendien verheugen in het doctoraat honoris causa van de universiteiten van Athene, Frankfurt, Glasgow en Parijs.

Fritz Pringsheim, die tot het einde academisch actief bleef, overleed op 24 april 1967 te Freiburg im Breisgau, waar hij ook werd begraven.

HOOFDSTUK 6

Georg Schwarzenberger (1908-1991)[23] De universitaire loopbaan van een outsider boycotten

Georg Schwarzenberger bereikte mogelijk niet het intellectuele topniveau van de émigrés die in de eerste vijf hoofdstukken werden behandeld. Hem komt nochtans de verdienste toe dat hij in de studie van de internationale betrekkingen als 'realist' de nadruk legde op de rol van politieke macht veeleer dan op het traditionele internationale recht. *Deze benadering maakte hem weinig populair bij de Engelse 'idealistische' herauten van* Peace through law *die daarom jarenlang zijn universitaire loopbaan in hun land boycotten tot hij eindelijk in 1962 tot hoogleraar in het internationaal recht aan de universiteit van Londen werd benoemd.*

I

Georg Schwarzenberger werd geboren te Heilbronn (Württemberg) op 20 mei 1908 als zoon van niet-praktiserende Joodse burgers die een textielbedrijfje bezaten.

Hij studeerde rechten aan de universiteiten van Heidelberg, Frankfurt am Main, Berlijn en Tübingen. Te Heidelberg maakte hij kennis met twee personen die in zijn leven een aanzienlijke rol speelden. Vooreerst zijn toekomstige echtgenote, de katholiek opgevoede assistente in strafrecht Suzanne (Suse) Schwarz. Vervolgens een mentor, de rechtsfilosoof en gewezen minister van justitie prof. Gustav Radbruch (1878-1949), een van de denkers van de sociaal-democratische partij (SPD) waarbij Schwarzenberger in die periode overigens aansloot.

Nog tijdens het vervullen van zijn stage werd Schwarzenberger door de universiteit Tübingen in 1930 uitgeroepen tot *doctor iuris* met een dissertatie over het mandaat van de Volkenbond in Palestina. Zonder zich daarom tot het zionisme te bekennen was de auteur vrij kritisch over het beleid van Engeland in het Midden-Oosten.

---

[23] Verder: St. Steinle, in: *Jurists Uprooted, o.c.*, pp. 663-680.

Met de machtsverovering door de nazi's tijdens de eerste maanden van 1933 speelde Schwarzenberger een actieve rol in de harde oppositie van de SPD. Na de verkiezingen van 5 maart 1933 werden talrijke Joden, socialisten en communisten gearresteerd en in een concentratiekamp opgesloten. Schwarzenberger kon nog tijdig naar Zwitserland vluchten, waar hij verbleef tot het gevaar was geweken.

Terug in Heilbronn, maakte hij zich klaar om het laatste 'staatsexamen' van het stageprogramma af te leggen toen in de late zomer 1933 de *Gauführer* van de nationaal-socialistische *Juristenbund* de minister van justitie dringend aanmaande Schwarzenberger niet tot dit examen toe te laten omdat het in de Nieuwe Orde toch niet denkbaar was dat advocaten of rechters van Joodse origine aan het gerechtelijk apparaat deelnamen. Een passus uit de brief van de *Gauführer* verdient enige aandacht:

Anderzijds mag men met grote waarschijnlijkheid verwachten dat Schwarzenberger bij de besten voor dit examen zal slagen. Dit zou erop neerkomen dat de organen van de nationaal-socialistische staat Schwarzenbergers juridische prestaties en zijn verstand formeel erkennen. Zo zou hij in het beroepsleven, dat nog steeds door Joodse en liberalistische invloeden wordt gedomineerd, een betrekking kunnen krijgen die een Jood niet toekomt. Zo wij ons Duits openbaar leven willen omschakelen naar nieuwe juridische opvattingen, mogen wij niet dulden dat onze staat Joden als voljuristen erkent en in het Duitse volk toelaat.

Omdat Schwarzenberger naast Jood ook een actief sociaal-democraat was, ging de minister in op deze eis. Ook de rooms opgevoede Suse werd geschrapt 'omdat ze maar niet met die Jood had moeten trouwen'.

Nu hij aan het eindexamen van de stage niet deelnam, werd het voor Schwarzenberger volstrekt onmogelijk om in Duitsland nog enig juridisch beroep uit te oefenen. Bovendien circuleerde nu een bevel om hem in het concentratiekamp van Heuberg op te sluiten. Georg en Suse besloten te emigreren, bij voorkeur naar Engeland waar hun leermeester talrijke contacten bezat in de universitaire wereld.

II

De Schwarzenbergers, 25 jaar oud, arriveerden in Engeland in februari 1934. Spoedig stelde Georg vast dat hij weinig te bieden had en dat hij geen interessante juridische betrekking zou vinden zo hij niet vooreerst een opleiding in het Engels recht volgde. Prof. Robert Chorley (1895-1978), hoogleraar handelsrecht aan de London School of Economics and Political Science (LSE), introduceerde hem bij de *Society for the Protection of Science and Learning* (SPSL; zie hoofdstuk 13, 5.2.) waar men oordeelde dat een Duits specialist in het international recht weinig kans maakte in Engeland en best naar de Verenigde Staten emigreerde. Overigens oordeelden Chorley en het SPSL dat Schwarzenberger niet de meest getalenteerde jurist van zijn generatie was.

Door een familievriend, de liberale staatsman Theodor Heuss (1884-1969), die van 1949 tot 1959 de eerste president van de Duitse Bondsrepubliek werd, kon Schwarzenberger als jurist-secretaris worden aangeworven door het *New Commonwealth Institute* dat later bekendheid verwierf onder de nieuwe benaming *Institute of World Affairs*. Door zijn menigvuldige contacten met allerlei regeringen en vooral met de Volkenbond verschoof Schwarzenbergers intellectuele belangstelling geleidelijk van het internationaal *recht* naar de internationale *politiek*.

Nadat hij in begin 1939 in het tijdschrift van het *Institute* de agressiepolitiek van Hitler had aangeklaagd, nam de naziregering onmiddellijk onverbiddelijke maatregelen: Schwarzenbergers Duitse nationaliteit werd hem ontnomen en de universiteit van Tübingen annuleerde zijn doctoraatsbul. Bovendien werden zijn ouders, broer, zussen en hun kinderen door handlangers van het regime uitgemoord.

Intussen had Schwarzenberger aan het LSE met bijval een doctorale dissertatie verdedigd die in 1936 in boekvorm verscheen, over *League of Nations and International World Order*. In dit boek poneerde Schwarzenberger onomwonden dat onder meer uit zijn ervaring met de Volkenbond bleek dat macht (of onmacht) in de internationale betrekkingen een grotere rol speelde dan het internationaal recht.

Deze opvatting maakte van hem een intellectuele 'outsider' vermits zij niet te verzoenen was met de traditionele Britse doctrine van *Peace through law* die de voorrang niet aan macht, maar aan het recht toekende. Bovendien was Schwarzenberger voorstander van een 'inductieve' benadering van het internationaal recht: naar zijn opvatting waren de statenpraktijk en de vonnissen van internationale rechtscolleges van aanzienlijker belang dan de rechtsleer en de theorie.

Het verbaast daarom niet dat Schwarzenbergers meest uitgesproken opponent een vermaard auteur was, te weten prof. Hersch Lauterpacht (1897-1960) die internationaal recht doceerde in Cambridge, en overigens ook als Joodse Duitser was geboren. Het heet dat beide mannen een erg 'polariserend' karakter bezaten en dat Schwarzenberger graag provoceerde.

In 1938 werd Schwarzenberger deeltijds *Lecturer* aan het University College van de Londense universiteit waar prof. George W. Keeton zijn mentor werd. Aan dit college bleef hij verbonden tot zijn emeritaat in 1975.

Zoals talloze andere émigrés werd Schwarzenberger in 1940 gedurende enkele maanden als *Enemy Alien* in een kamp op het eiland Man opgesloten – hoewel zijn Duitse nationaliteit hem in 1939 was ontnomen en hij juridisch dus staatloos en geen 'vijand' was.

In 1941 verscheen zijn meest bekende boek, *Power Politics*, waarin hij nog grondiger dan in zijn dissertatie inging op de respectieve rol van internationaal recht en politieke macht in de internationale betrekkingen. Met dit werk werden alle bruggen tussen de auteur en de groep rond Lauterpacht onherstelbaar opgeblazen: Schwarzenberger had immers het traditionele Engelse canon *Peace through law* 'verraden'.

In het *American Journal of International Law* van juli 1943 ('Ius Pacis ac Belli? Prolegomena to a sociology of international law') benadrukte hij nogmaals ondubbelzinnig het verschil tussen zijn opvatting en de traditionele rechtsleer: 'International law … does not condition, but is conditioned by, the rule of force. Therefore, it is hard to conceive a more unrealistic assumption than the one which is the basis of the modern doctrine of international law: the normality of peace. *The state of peace, as it exists between major wars, is nothing but the interval between the dynamic periods in which previous systems of power politics undergo a process of confirmation or transformation.*[24] … It appears, therefore, that none of the assertions of the modern doctrine of peace and war can be upheld'. M.a.w., vrede is enkel een tussentijd tussen oorlogen.

Voor het overige bleef Schwarzenberger erg productief met keurige studies over de evolutie van het internationaal recht, onder meer een leergang over het internationaal economisch recht aan de *Académie de droit international* in Den Haag.

Omdat ook het University College bij academische benoemingen en bevorderingen het advies inwon van externe deskundigen, en de zeldzame Engelse deskundigen deel uitmaakten van het groepje rond Lauterpacht, waren de toekomstperspectieven van Schwarzenberger erg somber.

In 1946, kort na zijn naturalisatie, werd hij niettemin benoemd tot *Reader* aan het University College, een titel net onder die van hoogleraar, waarbij men hem nochtans meedeelde dat dit de *final step* was, m.a.w. dat hij het nooit verder zou brengen. Intussen werd hij wel als volwaardig *barrister* aangenomen in Gray's Inn en mocht dus voortaan als advocaat optreden, wat zelden gebeurde.

---

[24] Onze cursivering.

III

Georg Schwarzenbergers horizont klaarde op met het overlijden van prof. Hersch Lauterpacht in 1960. Minder dan twee jaar later kon hij eindelijk tot hoogleraar aan de universiteit van Londen worden benoemd als titularis van de leerstoel voor internationaal recht. De getrouwen van de aflijvige zorgden er nochtans voor dat Schwarzenberger nooit in aanmerking kwam voor de interessante zitjes die de Engelse internationalisten gezellig onder elkaar verdeelden, onder meer in het Internationaal Hof in Den Haag, de *International Law Commission* en het *Institut de Droit International*.

Schwarzenberger heeft nooit de wens uitgedrukt om opnieuw in zijn geboorteland te gaan wonen hoewel hij herhaaldelijk werd gevraagd door de opeenvolgende leiders van de SPD. Door de Britse regering uitgenodigd om deel uit te maken van het openbaar ministerie op het proces van Nuremberg weigerde hij eveneens omdat hij meende 'geen rechter en partij' te kunnen zijn. Behalve voor gastcolleges reisde hij nog zelden naar Duitsland vermits zijn naaste verwanten er waren uitgemoord. Hij overleed in een voorstad van Londen op 20 september 1991.

HOOFDSTUK 7

Hermann Mannheim (1889-1974)[25]
Men verweet hem zijn verbittering

Dit is het verhaal van een man die met zijn specialisme (het strafrecht) in Engeland nergens terecht kon en die zich daarom bekwaamde in een andere, nieuwe, discipline (de criminologie) waarvan hij in dit land een der grondleggers werd. Omdat de jonge criminologie nog geen academische adelbrieven bezat, kwam ze lang niet in aanmerking voor een universitaire leerstoel zodat Mannheim in Londen niet tot hoogleraar kon worden benoemd, wat hem zeer verbitterde.

I

Hermann Mannheim werd op 26 oktober 1889 geboren in de Baltische zeehaven Libau waar zijn vader, de Berlijner Wilhelm Mannheim (gehuwd met Clara Marcuse), met veel succes de belangen van enkele grote Duitse negocianten vertegenwoordigde. Hij was ondervoorzitter van de Kamer van Koophandel en werd vereerd met de gouden medaille van de Tsaar wegens zijn inzet voor de Duits-Russische handelsbetrekkingen. Hermann was enig kind, werd (hoewel Joods van moederskant) in de lutherse godsdienst grootgebracht, en kreeg eerst thuisonderricht. Vanaf zijn negen jaar bracht hij bijna tien jaar door in een kostschool te Tilsit in Oost-Pruisen.

Hermann was erg begaafd voor de muziek en had in deze richting zijn toekomst kunnen opbouwen, maar zijn zakelijke ouders konden hem overtuigen de rechtstudie aan te vangen, eerst in München, later ook Freiburg im Breisgau, Straatsburg en Königsberg waar hij in 1911 zijn einddiploma ontving.

Het valt op (en tekent reeds de toekomstige criminoloog) dat hij, bovenop zijn regulier studieprogramma, ook colleges volgde in sociale wetenschappen, economie, psychologie, psychiatrie, sociologie en wijsbegeerte. Hermann toonde overigens heel wat belangstelling voor de psychiatrische *case studies* omdat zij hem een nieuw inzicht gaven in de 'menselijke grond-

---

[25] Verder: R. Hood, in: *Jurists Uprooted, o.c.*, pp. 709-738.

49

stof' van zijn lievelingsvak, het strafrecht. De zware studielast verhinderde Hermann niet om reeds in 1912 in Königsberg het doctoraat in de rechten te verwerven met een dissertatie over 'criminele nalatigheid'.

Tegen het einde van zijn professionele stage brak de Eerste Wereldoorlog uit. Hermann nam dienst in de artillerie en was betrokken bij campagnes aan het Oostfront (Rusland) en het Westfront (Frankrijk). Tijdens de oorlog werd hij benoemd tot rechter in een krijgsraad-te-velde.

Na de wapenstilstand huwde hij Mona Mark en vervulde diverse administratieve en gerechtelijke functies in het lokaal bestuur, tot hij in 1923 tot rechter werd benoemd in de drukke correctionele kamer van het Berlijnse *Landgericht* (rechtbank van eerste aanleg).

Zijn gevarieerde ervaring als krijgsrechter, onderzoeksrechter, strafrechter en lid van allerlei administratieve rechtscolleges zette hem aan tot de publicatie van enkele gunstig onthaalde studies over strafrecht en strafprocedure. Tevens begon hij zich actief te interesseren voor de criminologie (toen nog in haar kinderschoenen) en het strafbeleid van de overheid.

In 1924 behaalde hij aan de universiteit van Berlijn de *Habilitation*. Hierop volgde zijn aanstelling tot *Privatdozent* aan deze prestigieuze universiteit, weliswaar deeltijds vermits hij een drukbezet strafrechter was. In 1929 volgde aan dezelfde instelling de benoeming tot buitengewoon (d.i. deeltijds) hoogleraar.

Begin 1933 werd Mannheim benoemd tot raadsheer in het *Kammergericht* van Brandenburg-Berlijn, het hof van beroep voor Pruisen.

Toen de nazi's in maart 1933 de macht veroverden had Hermann Mannheim, 44 jaar oud, in zijn beide arbeidsgebieden de hoogste echelons bereikt. Dit maakte hem ook tweemaal kwetsbaar, en tweemaal werd hij als Jood aan de deur gezet.

Eerst, in oktober 1933, als hoogleraar in Berlijn hoewel de regering hem als gewezen frontsoldaat tegemoet kwam met het statuut 'verlof voor onbepaalde duur'.

Ook in het *Kammergericht* moest hij nu worden verwijderd. De minister van justitie stelde hem een benoeming tot rechter voor in een stadje in het Rijnland. Mannheim weigerde en werd met ingang van 1 januari 1934 ontslagen als lid van de rechterlijke macht.

II

Vrienden brachten Mannheim in contact met de *Society for the Protection of Science and Learning* te Londen (SPSL; zie hoofdstuk 13, 5.2) en reeds in januari 1934 had hij een eerste gesprek met prof. Robert Chorley (1895-1978), hoogleraar handelsrecht in de London School of Economics and

Political Science (LSE), die levenslang zijn toeverlaat en vriend bleef. Ook met prof. Hersch Lauterpacht (1897-1960), toen *Lecturer* internationaal recht aan LSE, had hij een onderhoud.

Beide academici waren vol lof voor zijn beroepservaring en publicaties, maar zagen niettemin de toekomst somber in. Britse universiteiten hadden immers weinig belangstelling voor strafrecht en strafprocedure (laat staan voor criminologie) zodat er zelden een vacature opdook en men zeker geen fondsen ter beschikking stelde voor wetenschappelijk onderzoek in deze disciplines.

Ook andere professoren werden geraadpleegd. Prof. Harold Gutteridge (1876-1953), hoogleraar rechtsvergelijking te Cambridge, deelde de mening van zijn beide Londense collega's. De invloedrijke prof. James Brierly (1881-1955), hoogleraar internationaal recht in Oxford en bestuurslid van het SPSL, kwam tot het weinig flatterende besluit dat Mannheim weliswaar een harde werker was, maar dat hij tevens 'of not great academic distinction' was. Nog anderen adviseerden het SPSL in dezelfde zin. Mannheim was *a good B,* voor sommigen enkel een *C+*,[26] d.i. zeker niet het topniveau. Men opperde tevens de mening dat wetenschappelijk werk voor hem slechts een zijspoortje was naast zijn hoofdbezigheid als magistraat.

Mogelijk waren deze beoordelingen deels gemotiveerd door het feit dat Mannheim zich niet tot het strikt-juridische hield en ook andere disciplines bij de studie van het strafrecht betrok. Multidisciplinariteit was toen niet gebruikelijk. In het Engels recht zou zij pas met de studies van prof. Otto Kahn-Freund (hoofdstuk 4) acceptabel worden.

Omdat deze adviezen een benoeming aan een universiteit zo goed als uitsloten ondernam het SPSL nu demarches bij allerlei instanties, onder meer de *Inns of Court* (de georganiseerde balie), het *American Law Institute* te New York City, de Rockefeller Foundation, tot zelfs de Volkenbond. Nergens kon men iets voorstellen.

III

Mannheim liet zich nochtans niet ontmoedigen en besloot het heft nu in eigen handen te nemen. Vermits hij nergens terecht kon met zijn specialisatie in strafrecht en strafprocedure, besloot hij deze disciplines links te laten liggen en zich voortaan enkel nog te concentreren op de criminologie en de sociologie van het recht. Hij gaf zichzelf één jaar om deze nieuwe dis-

---

[26] Traditioneel worden in Engeland studenten als volgt opgedeeld: A = uitstekend, B = goed, C = gemiddeld, D = zwak. Na de letter preciseert men het niveau soms met een of meer + of -, bijvoorbeeld: A++, B-, C+, enz.

ciplines onder de knie te krijgen. Tijdens deze periode zou hij bovendien zijn kennis van het Engels aanzienlijk verbeteren.

Hij kon zich dit besluit financieel veroorloven vermits hij nog steeds een deel van zijn pensioen ontving, hetzij het equivalent van 230 pond per jaar, weinig voor een zelfs kinderloos gezin om in Londen te overleven. Deze pensioenbetaling kwam overigens ten einde in juni 1936, maar toen was Mannheim reeds in het bezit van een beter toereikende onderzoekbeurs van de universiteit van Londen.

Mannheim ging nu systematisch het Engels crimineel en penitentiair stelsel in de praktijk bestuderen, alsmede de sociale voorwaarden waarin diverse bevolkingslagen leefden. Er bestond weliswaar in Engeland een lange traditie van punctuele sociale enquêtes, maar zij leenden zich meestal niet tot het formuleren van algemeen geldende besluiten en theorievorming. Tevens bestudeerde Mannheim het baanbrekend werk van de Amerikaanse criminologen Sheldon (1896-1980) en Eleanor Glueck (1898-1972), hoogleraren in Harvard Law School. Zo groeide geleidelijk in Mannheims geest, bovenop de kennis die hij uit Duitsland had meegebracht, een doctrinale en praktische opvatting van de criminologie die voldoende samenhang vertoonde om op universitair niveau overgedragen en met verder onderzoek ontwikkeld te worden.

Het verrast daarom niet dat LSE Mannheim in de zomer 1935 aanstelde tot deeltijds *Lecturer* in de criminologie. Het jaar daarop kende de universiteit van Londen hem een onderzoeksubsidie toe voor een uitvoerige studie waarvan het verslag in 1940 werd gepubliceerd, *Social aspects of crime in England between the wars.*

In 1940 werd Mannheim met de titel van voltijds *Senior Lecturer* in vast dienstverband aan de LSE benoemd. In hetzelfde jaar verkreeg hij de Britse nationaliteit. Na de oorlog ontdekte men dat zijn naam voorkwam op een 'zwarte lijst' van personen die de nazi's bij voorrang zouden arresteren zo zij slaagden in hun voorgenomen invasie van Engeland.

Nu volgden Mannheims criminologische publicaties zich in snel tempo op, bijvoorbeeld *Young offenders* (1942) in opdracht van het *Home Office* en zijn meest gelezen boek *Criminal justice and social reconstruction* (1946). Hij werd tevens de gevierde auteur van *Comparative Criminology – a text book* (1965, 2 vol.) dat herhaaldelijk werd herdrukt, laatst in 2003 (793 pp.)

In 1946 werd Mannheim bevorderd tot *Reader*, een titel net onder die van hoogleraar. Dit statuut zou hij bewaren tot zijn pensionering in 1955.

Dat hij niet tot hoogleraar in de criminologie werd benoemd was voor Mannheim een bittere teleurstelling. Mogelijk was dit helemaal niet aan zijn persoonlijkheid of bekwaamheid toe te schrijven. Criminologie was in die tijd een jonge wetenschap die weinig adelbrieven bezat en nog niet voldoende academische erkenning genoot om de creatie van een leerstoel (en dus de benoeming van een hoogleraar) te verantwoorden.

Mannheim beleefde dit als een persoonlijke nederlaag die gepaard ging met prestige- en inkomensderving. De ruchtbaarheid die hij aan zijn verbittering gaf lokte heel wat kritiek uit, onder meer vanwege de Joodse émigrés die het met véél minder dan een wedde van vast benoemd *Senior Lecturer* of *Reader* moesten stellen. Sir William Beveridge (1879-1963), gewezen directeur van de LSE en stichter van het SPSL, verborg zijn verontwaardiging niet.

Publieke eerbewijzen werden Mannheim nochtans niet ontzegd. Hij was onder meer doctor honoris causa van de universiteiten van Utrecht en Wales en voorzitter van de *International Society of Criminology*. In 1951 benoemde de Duitse regering hem tot kamervoorzitter ter ere (*Senatspräsident*) in het hof van beroep waaruit hij in 1934 was verwijderd. Zelfs de Britse Kroon erkende zijn verdiensten en verhief hem in 1959 tot officier in de ridderorde *Order of the British Empire* (OBE).

Mannheim bleef tot het einde criminologische studies publiceren en gastcolleges geven. Hij overleed te Orpington (een voorstad van Londen) op 20 januari 1974. Volgens het dagblad *The Times* was hij 'the father of modern English criminology'. Als eerbetoon aan hem gaf de London School of Economics aan haar afdeling criminologie de benaming *Mannheim Centre for Criminology*.

HOOFDSTUK 8

Clive-Macmillan Schmitthoff (1903-1990)[27] Als Brits soldaat op de stranden van Normandië

Het oeuvre van Clive Schmitthoff over het recht van de internationale handel kan het best worden vergeleken met dat van Francis Mann over het monetair recht (hoofdstuk 2). Beide Duitse émigrés schreven inderdaad in Engeland een standaardwerk dat nog overal ter wereld door internationale ondernemers en hun adviseurs wordt gebruikt. Schmitthoffs The Export Trade. The law and practice of international trade, *dat voor het eerst in 1948 verscheen, was in augustus 2012 aan zijn twaalfde uitgave toe. Schmitthoff had als jong advocaat Duitsland reeds in augustus 1933 verlaten, d.i. kort na de machtsovername door de nazi's. In 1940 nam hij vrijwillig dienst in het Britse leger en maakte deel uit van de troepen die op 6 juni 1944 (*The Longest Day, D-Day*) voet aan wal zetten op de stranden van Normandië.*

I

Alvorens het levensverhaal van Clive Schmitthoff te overschouwen verdienen de lotgevallen rond zijn voornaam en familienaam enige aandacht. Zij herinneren er immers aan dat Duitsland niet op Hitler en de nazi's heeft gewacht om zijn Joodse medeburgers te brandmerken en maatschappelijk uit te sluiten.

De familie Schmitthoff heette oorspronkelijk 'Schmulewitz', blijkbaar een Joods ogende en klinkende naam. Onder de druk van het heersende antisemitisme wijzigde Clives grootvader de naam Schmulewitz tot Schmitthoff.

Sedert het einde van de 19de eeuw had het Duitse keizerrijk een aantal dwingende maatregelen genomen om de Joden in een *Namengetto* op te sluiten: elke burger had immers het recht te weten wie al dan niet een Jood

---

[27]   Verder: J.N. Adams, in: *Jurists Uprooted, o.c.*, pp. 367-380.

was.[28] Een verordening van 1894 verbood de verandering van een 'Joods klinkende naam' tot een meer 'acceptabele' naam. In 1898-1900 volgden het verbod om een Joodse voornaam te wijzigen of om de schrijfwijze van de familienaam te veranderen ('Davidsohn' mocht zich bijvoorbeeld niet meer als 'Davidson' laten kennen). In 1908 ging de overheid nog een stap verder. Het was voortaan verboden het middel van de wettelijke adoptie aan te wenden om in het bezit te komen van de niet-Joodse naam van de adoptant.

Zodra zij in 1933 aan de macht kwamen, zetten de nazi's deze traditie met blakende ijver verder. Alle Joodse mannen werden voortaan verplicht als tweede voornaam het woord 'Israël' aan te nemen zodat bijvoorbeeld de Joodse burger 'Friedrich Wegener' voortaan enkel als 'Friedrich-Israël Wegener' door het leven mocht gaan. Dezelfde regel gold voor de vrouwen, met 'Sara' als verplichte tweede voornaam. Bovendien werd een officiële lijst opgesteld (Hitler zou er persoonlijk aan hebben meegewerkt!) met een beperkt aantal voornamen die men aan een pasgeboren Joodse baby mocht geven. In talrijke kringen eiste men tevens dat allen die hun Joodse familienaam hadden gewijzigd zouden worden verplicht terug hun oorspronkelijke naam aan te nemen. Zo bijvoorbeeld drong het erg traditionele *Deutscher Anwaltsverein* er in juli 1933 op aan dat de vooraanstaande Berlijnse advocaat en notaris Hermann Schmitthoff (de vader van Clive, alsdan Maximilian) voortaan opnieuw Schmulewitz zou heten.

Men weet niet hoe de jonge Maximilan Schmitthoff op deze toestanden reageerde. Wél staat vast dat hij zijn allereerste wetenschappelijke publicatie (overigens in samenwerking met zijn leermeester prof. Martin Wolff; hoofdstuk 3) in 1929 ondertekende als 'Maximilian Schmulewitz'. Wilde hij zijn Joodse identiteit affirmeren, het opkomend nationaal-socialisme provoceren? – men heeft er het gissen naar.

Hoe dan ook, toen hij in augustus 1933 in Londen arriveerde gebruikte hij de naam Maximilian Schmitthoff. Met zijn inlijving in het Britse leger na de oorlogsverklaring van september 1939 achtte hij het nochtans geraden zich de voornaam 'Macmillan' toe te eigenen in plaats van 'Maximilian' – tot in de lente van 1944 een algehele naamsverandering doorging. Voortaan zou hij 'Clive [voornaam] Macmillan [familienaam]' heten. De legerleiding had inderdaad besloten dat alle Duitsers en Oostenrijkers met dienst in het Britse leger tijdens de invasie van Normandië (operatie *Overlord* van 6 juni 1944; *D-Day*) een Engels of Schots uitziende naam en voornaam moesten dragen als bescherming voor het geval dat zij door de nazi's gevangen werden genomen met de zekerheid als verraders te worden terechtgesteld.

---

[28] *Zeit Online*, 5 februari 1988; http://www.zeit.de/1988/06.

Na de oorlog werd de toestand naar aanleiding van Clives naturalisatie (17 juni 1946) geregulariseerd. De ambtelijke *London Gazette* van 20 augustus 1946 (p. 4184) deelde immers mee dat 'Maximilian Schmulewitz' sedert 1 juli voor de burgerlijke stand 'Clive-Macmillan Schmitthoff' heette.[29]

Gemakshalve wordt hierna nog enkel de naam 'Clive Schmitthoff' gebruikt.

II

Clive Schmitthoff werd geboren te Berlijn op 24 maart 1903. Vader Hermann was een vermaard advocaat en notaris van Joodse origine.

Zijn eerste dertig levensjaren verliepen volgens een bekend patroon. Na humaniora in het selecte Friedrich Gymnasium studeerde hij rechten aan de Friedrich-Wilhelms universiteit van Berlijn alsmede te Freiburg im Breisgau. Als student in Berlijn werd hij opgemerkt door prof. Martin Wolff (hoofdstuk 3) die in 1927 de promotor (*Doktorvater*) werd van zijn doctorale dissertatie over het statuut van de aandelen die in een publieke vennootschap door het management worden gecontroleerd (een thema dat actueel blijft). Intussen vervulde Schmitthoff ook zijn stageverplichtingen zodat hij in 1929 de eed van advocaat bij het *Kammergericht* van Berlijn kon afleggen.

De eerste georganiseerde Jodenvervolgingen vanaf maart 1933 openden hem onherroepelijk de ogen: voor een jong Joods advocaat was er in dit regime in zijn vaderland geen toekomst meer. Omdat hij ook een academische loopbaan ambieerde, wist hij dat de recente wetgeving van april 1933 (zie hoofdstuk 13, 4.1) voor hem de deur van alle Duitse universiteiten sloot.

Reeds in augustus 1933 besloot hij onmiddellijk naar Engeland te emigreren om er na een opleiding in het Engels recht een nieuw leven te beginnen.

De familievriend prof. Hersch Lauterpacht (1897-1960), toen nog *Lecturer* internationaal recht aan de London School of Economics and Political Science (LSE), introduceerde Clive bij Gray's Inn, een van de vier *Inns of Court* die jonge juristen opleidden met het oog op een erkenning als *barrister*. Tevens studeerde hij rechten aan de LSE waar hij in 1936 het diploma van *Master of Laws* behaalde. Tijdens deze studies maakte hij kennis met zijn toekomstige echtgenote, de medestudente Ilse (Twinkie) Auerbach – ook een Duitse afgestudeerde juriste die haar land was ontvlucht.

---

[29] http://www.london-gazette.co.uk/issues/37694/supplements/4184/page pdf.

Clive werd in 1936 aangenomen in de *chambers* (advocatenpraktijk) van de vermaarde pleiter en *workaholic* Valentine Holmes (1888-1956), KC later QC, die beroemd is gebleven als de auteur van het kortste schriftelijk juridisch advies ooit (dertien woorden): 'The judgment of the Court of Appeal is wrong and will be reversed' – wat ook effectief gebeurde. Tijdens zijn lange beroepsleven als advocaat bleef Schmitthoff aan deze *chambers* verbonden.

Na de oorlogsverklaring van september 1939 nam Schmitthoff vrijwillig dienst in het Britse leger waaruit hij pas in 1945 afzwaaide. Op 6 juni 1944 (*D-Day; The longest day*) was hij een van de talloze soldaten die voet aan wal zetten op de stranden van Normandië. We weten reeds dat hij zoals de overige uitgeweken Duitsers en Oostenrijkers met dienst in het Britse leger vanwege de legerleiding officieel de nieuwe naam 'Clive Macmillan' had gekregen als bescherming voor het geval dat hij door de nazi's gevangen werd genomen.

III

Na de oorlog hernam Schmitthoff zijn werk aan de balie en publiceerde op vrij korte termijn enkele boeken, onder meer: *Textbook on English Conflict of Laws* (1945) een helder voor studenten bedoeld overzicht van het (Engels) internationaal privaatrecht, alsmede in 1948 de eerste uitgave van zijn standaardwerk *The Export Trade*, waarop nog wordt teruggekomen. In 1957 stichtte hij het nog steeds florerende *Journal of Business Law* waarvan hij tot 1989 de enige vaste redacteur bleef.

In 1948 werd Schmitthoff benoemd tot *Lecturer* in de rechten aan het City of London College, een weliswaar eerbiedwaardige instelling (die pas veel later een universitair statuut verwierf als London Guildhall University), maar die op intellectueel vlak wellicht niet geheel beantwoordde aan het potentieel en de ambities van Schmitthoff. Tijdens zijn laatste levensjaren stelde deze zich soms de vraag of hij niet beter was overgegaan naar een échte universiteit met een bruisende rechtenfaculteit – zoals bijvoorbeeld de universiteit van Londen die hem trouwens in 1953 de eretitel van *Doctor of Laws* (LL.D.) had toegekend. Anderzijds was de onderwijsopdracht aan het City of London College best cumuleerbaar met zijn drukke praktijk als advocaat, later ook als internationaal arbiter in handelszaken. Hoe dan ook, aan deze instelling bleef hij verbonden tot zijn pensionering als *Principal Lecturer* in 1971. Hij verrichtte er zeer verdienstelijk werk en stond bijvoorbeeld gedurende veertig jaar in voor de zomercursus Engels recht die aan duizenden jonge mensen uit de hele wereld een maand lang een voorsmaak van het *common law* liet proeven.

Intussen was Schmitthoff door zijn advocatenpraktijk en zijn vele publicaties een alom erkend specialist geworden van het internationaal handelsrecht. Hij was onder meer de raadsman van het bedrijvige Britse *Institute of Export*, wat hem reeds in 1948 bracht tot de publicatie van het boek dat een wereldwijd onmisbaar standaardwerk is geworden: *The Export Trade. The law and practice of international trade*, dat thans aan zijn twaalfde uitgave (2012) toe is. Het werd vertaald in het Chinees, Frans, Russisch en Japans. Af en toe liet Schmitthoff zich ontvallen dat dit boek zijn geprefereerd geesteskind was.

Door zijn erkende deskundigheid, zijn talenkennis en zijn vertrouwdheid met talrijke nationale rechtsstelsels ontwikkelde Schmitthoff ook een bijzonder drukke praktijk als arbiter in internationale handelsbetwistingen.

Schmitthoff werd in 1966 de voornaamste 'intellectuele vader' van UNCITRAL (*United Nations Commission on International Trade Law*), die immers op basis van een door hem opgesteld verslag werd opgericht. Op deze instelling wordt verder ingegaan in paragraaf IV hierna.

Na zijn pensionering in 1971 bleef Schmitthoff nog erg actief in het onderwijs van de *international trade law*. Zo was hij van 1971 tot 1984 erehoogleraar aan de universiteit van Kent in Canterbury, van 1976 tot 1986 hoogleraar aan de City University van Londen, en vanaf 1985 ondervoorzitter van het vermaarde *Centre for Commercial Law Studies* van het Queen Mary College (universiteit van Londen). Ook hield hij gastcolleges in talrijke landen, wat soms resulteerde in het toekennen van een doctoraat honoris causa, onder meer door de universiteiten van Marburg, Bern, Edinburgh (Heriot-Watt University), Kent en Bielefeld.

Clive Schmitthoff overleed op 30 september 1990 in zijn fraaie villa in het Londense Bedford Park. Hij werd begraven op het Joodse kerkhof van Willesden.

IV

'A transnational code of international trade law of world wide application' – zo luidde Schmitthoffs streefdoel. Om dit te bereiken was hij onder meer actief betrokken bij twee ontwikkelingen die in de jaren 1960 van de vorige eeuw een aanvang namen.

° Als 'geestelijke vader' in 1966 van UNCITRAL (*United Nations Commission on International Trade Law*) bleef Schmitthoff in de hoedanigheid van deskundige betrokken bij het voorbereiden van tal van ontwerpverdragen en modelwetten. De instelling verwezenlijkte 'eengemaakt recht' (althans op papier) in bijvoorbeeld de volgende materies: de verjaring in de internationale handelskoop; het zeetransport; de internationale handelskoop in het algemeen; internationale wisselbrieven en orderbriefjes; de aansprakelijkheid van exploitanten van transport *terminals*; autonome bankgaranties en 'stand by' documentaire kredieten; de overdracht van handelsvorderingen (*receivables*) in de internationale handel; het gebruik van elektronische communicatie in internationale transacties; de internationale handelsarbitrage; internationale geldoverschrijvingen; de aanbesteding voor goederen, bouwwerken en diensten; *e-commerce*; internationale faillissementen; de financiering van infrastructuurprojecten.

Deze teksten munten doorgaans uit door: een pragmatische zakelijke aanpak; het gebruik van een juridische terminologie die voor uiteenlopende rechtsstelsels begrijpelijk is;[30] het besef dat bepaalde materies slechts geleidelijk voor eenmaking vatbaar zijn. Ondanks deze en andere kwaliteiten hebben de UNCITRAL ontwerpen niet geleid tot een merkbare eenmaking van het internationaal handelsrecht, althans in formele zin, d.i. door inwerkingtreding van internationale verdragen of opneming in de nationale wetgevingen. Men stelt immers vast dat de economisch dominerende staten de voorkeur blijven geven aan hun nationale wetgeving (die ze soms ook in het buitenland pogen op te dringen).

Hoe dan ook, de ontwerpen van UNCITRAL worden door de Verenigde Naties gepubliceerd zodat de staten en de ondernemingen relevante bepalingen ervan in hun contracten (soms ook in hun wetgeving) kunnen 'incorporeren', wat steeds vaker gebeurt. Zo ontstaat eigenlijk een 'contractueel' veeleer dan een 'legislatief' eengemaakt recht voor de internationale handel.

° Eveneens vanaf de jaren 1960 nam Schmitthoff deel aan de internationale discussies betreffende het al dan niet bestaan van een *New Lex Mercatoria* als een geheel van autonome regels (*a separate body of legal rules*) voor internationale handelstransacties. Deze regels zouden als het ware spontaan groeien uit de gewoonten en gebruiken van de deelnemers aan de internationale handel – zoals tijdens de middeleeuwen de oorspronkelijke *lex mercatoria* was ontstaan uit de gewoonten en gebruiken van de internationaal opererende kooplieden van uiteenlopende nationaliteiten, die onder meer de techniek van de wisselbrief invoerden.

Volgens een traditionele opvatting moet elk internationaal contract steeds worden beheerst door een bepaald nationaal recht, in sommige ge-

---

30 Een voorbeeld zal het probleem illustreren. Het Haags Koopverdrag (1 juli 1964) gebruikt o.m. de term *résolution de plein droit* (ontbinding van rechtswege). In de Engelse versie werd *de plein droit*, bij gebrek aan een beter equivalent in het common law, vertaald als *ipso facto*. Het probleem leek onoplosbaar toen, tijdens de onderhandelingen voor het Koopverdrag van Wenen (11 april 1980) *ipso facto* in Chinese rechtstaal moest worden omgezet.

vallen door internationaal recht. 'Staatloze' regels zijn niet ontvankelijk en kunnen alleszins niet door staatsrechtbanken worden toegepast. De strikte jurist Francis Mann (hoofdstuk 2) was bijvoorbeeld een fel tegenstander van het hele concept *New Lex Mercatoria.*

Schmitthoff stelde zich soepeler op en verzette zich bijvoorbeeld niet tegen de toepassing van een *New Lex Mercatoria* door arbiters wanneer zulks contractueel was overeengekomen tussen de gedingvoerende partijen. Telkens rees evenwel de vraag welke gewoonten en gebruiken effectief deel uitmaakten van dit stel regels. Zoals tal van andere rechtsgeleerden, ook op het continent en in de Verenigde Staten, meent Schmitthoff dat gewoonten of gebruiken, willen zij desgevallend als een regel van de *New Lex Mercatoria* worden erkend, alleszins moeten blijken uit enig document dat uitdrukking geeft aan een universele, regionale dan wel sectorale consensus. Gedacht wordt onder meer aan ontwerpen van UNCITRAL, 'eenvormige regels' vastgesteld binnen de Internationale Kamer van Koophandel (bijv. de quasi-universeel toegepaste regels voor het documentair krediet), standaardcontracten en -bedingen enz. Althans in arbitrale vonnissen wordt bovendien rekening gehouden met een aantal 'algemene rechtsbeginselen', bijvoorbeeld: de bindende kracht van een overeenkomst *(pacta sunt servanda)*, het vereiste van goede trouw bij het sluiten en het uitvoeren van een contract, het principe van de pragmatische contractsinterpretatie *(effet utile)* enz.

De onzekerheid die blijft heersen rond het concept van *New Lex Mercatoria* heeft kennelijk te maken met het sacrosanct geachte beginsel van de nationale soevereiniteit. Dat de voortschrijdende 'globalisering' dit beginsel op de helling plaatst, wordt niet meer betwist. Men kan niet uitsluiten dat deze ontwikkeling zal leiden naar nieuwe types, niveaus en technieken van regelcreatie. Dit zou aan de aloude *lex mercatoria* een tweede adem kunnen inblazen. Ook een *transnational code of international trade law of world wide application* wordt in deze hypothese een reële mogelijkheid.

HOOFDSTUK 9

Walter Ullmann (1910-1983)[31]
De katholiek Ullmann was 28 toen hij vernam dat hij voor de nazi's een Jood was

Na de Anschluss van maart 1938 ontdekten de nazi's dat in de aderen van deze katholieke Weense parketmagistraat 'Joods bloed' vloeide. Hij emigreerde naar Engeland waar hij het gedurende enkele jaren erg moeilijk had. Door het niveau van zijn wetenschappelijk werk doorbrak hij alle barrières en werd uiteindelijk hoogleraar aan de universiteit van Cambridge, titularis van de leerstoel middeleeuwse geschiedenis.

I

Walter Ullmann werd op 29 november 1910 geboren in een katholiek gezin te Pulkau, een stad in het noorden van Oostenrijk. Vader was huisarts, kwam goed aan de kost en kon behoorlijk sparen. Tot hij zoals velen het slachtoffer werd van de chaotische monetaire crisis rond de Deutsche Mark in november 1923 (zie hoofdstuk 2). Zijn spaargeld smolt als sneeuw onder de zon. Voortaan zou het gezin soberder gaan leven. Niettemin kon Walter in 1929 een aanvang maken met de rechtenstudies aan de universiteit van Wenen waar hij onmiddellijk belangstelling kreeg voor het Romeins recht. Walter moet een heel ernstige jongeman zijn geweest want het speelse, bruisende en wat oppervlakkige Wenen van het interbellum lag hem helemaal niet. Bovendien waren er te veel studenten en toonden de hoogleraren weinig belangstelling. Hij miste intellectueel leiderschap.

Walter zette daarom vanaf 1931 zijn studies verder aan de universiteit van Innsbruck waar hij onmiddellijk aardde. 'Een eerste keerpunt in mijn leven', getuigde hij later, toen hij reeds vele keerpunten achter de rug had. In deze kleine rechtenfaculteit bestond een hechtere band tussen professoren en studenten. Walter voelde er zich intellectueel gestimuleerd. Een van zijn hoogleraren kon hem motiveren om zich voortaan op het strafrecht te concentreren. Reeds in 1933 werd hij tot doctor iuris geproclameerd.

---

[31] Verder: D. Ibbetson, in: *Jurists Uprooted, o.c.*, pp. 289-298.

Na zijn studies begon hij een stage als parketmagistraat terwijl hij ook algemeen strafrecht onderwees in enkele scholen te Wenen en Innsbruck. Spoedig werd hij tevens benoemd tot assistent strafrecht aan de universiteit van Wenen. Zijn patron slaagde erin hem te overtuigen om het positief strafrecht links te laten liggen en zijn onderzoek voortaan toe te spitsen op het mentaal bestanddeel van misdrijven, de *mens rea*. In dit onderzoek, dat hem boeide, greep Ullmann spoedig terug naar de grote klassieke auteurs van de middeleeuwen – wat zijn intellectuele toekomst sterk beïnvloedde.

De dissertatie voor zijn *Habilitation* had betrekking op 'de strafbare poging in het werk van de post-glossatoren', dit waren de commentatoren die in de 14de eeuw de studie van het Romeins recht op een hoogtepunt van samenhang brachten. Intussen vervulde Ullmann getrouw zijn plichten als parketmagistraat en had het in de jaren 1930 herhaaldelijk aan de stok met nationaal-socialisten die erop uit waren de openbare gebouwen van de stad Wenen te beschadigen en te vernielen.

Weerwraak of niet? – na de *Anschluss* van maart 1938 stelden de nazi's een genealogie samen van de familie Ullmann en kwamen tot de bevinding dat er een weinig 'Joods bloed' in Walters aderen vloeide. Wegens de nu ook in Oostenrijk toepasbare rassenwetgeving betekende dit het einde van Walters loopbaan én als magistraat én aan de universiteit. Bovendien had hij reeds geweigerd trouw aan de Führer te beloven!

De beslissing werd snel genomen: naar Engeland zou hij emigreren. Als bekwaam man van 28 zou hij geen moeite hebben om daar een geschikte betrekking te vinden hoewel hij besefte dat zijn opleiding als Oostenrijks jurist er van weinig nut zou zijn en dat hij zich op historisch onderzoek moest toeleggen. In Innsbruck was hij bevriend geraakt met een vrij geheimzinnig man, graaf Johannes Sarnthein, een verpauperde edelman die gehuwd was met een schatrijke 'halfjoodse' vrouw die een job had in de diensten van Hitlers rijksmaarschalk Hermann Goering en als zodanig over heel wat informatie kon beschikken. De graaf zelf, weliswaar een *noble déchu*, bezat een uitgebreid netwerk van relaties in de meeste Europese landen. Hij beschermde Ullmann tegen de opzoekingen van de Gestapo en stond in voor alle emigratieformaliteiten zodat Ullmann in juni 1938 naar Engeland kon afreizen. De graaf had zijn vriend intussen reeds aanbevolen bij het SPSL (hoofdstuk 13, 5.2) in Londen.

II

Reeds in 1936-1937 had Ullmann een briefwisseling gevoerd met prof. Harold-Dexter Hazeltine (1871-1960), *Downing Professor of English Law* aan de universiteit van Cambridge, die in zijn jonge jaren in Berlijn had gestudeerd en goed Duits kende. Deze deelde zijn jonge Duitse collega mee dat hij zijn opzoekingen naar primaire bronnen van middeleeuws recht met nut zou kunnen verderzetten in de befaamde *Wren Library* van Trinity College aldaar.

Niettemin zocht Ullmann eerst contact met het SPSL en met een jonge Duitse émigré, de rechtshistoricus David Daube (1909-1999), *Fellow* aan het Gonville & Caius college te Cambridge. Spoedig vernam Ullmann dat het SPSL voor hem erg weinig kon doen: wetenschappelijk stelde hij nog niet veel voor en zijn kennis van het Engels was ontoereikend: met de hoogleraar Romeins recht te Cambridge had hij bijvoorbeeld slechts in het Latijn van gedachten kunnen wisselen! Bovendien steunde het SPSL sedert 1933 dermate veel Duitse émigrés dat het Ullmann niet meer financieel kon bijstaan.

David Daube bracht hem dan in contact met het *Cambridge Refugee Committee* dat onmiddellijk een toelage van 50 pond ter beschikking stelde, zodat Ullmann in oktober 1938 een aanvang kon maken met zijn on-derzoek over het strafrecht bij de post-glossatoren. Logies vond hij bij Robert Laffan, *History Lecturer* in Queen's College en penningmeester van het *Cambridge Refugee Committee*. De mannen werden overigens erg goed bevriend. Dit neemt niet weg dat Ullmann met bitter weinig geld moest rondkomen en dat hij onvoldoende publicaties (en geen enkele in het Engels) kon voorleggen om in de academische wereld een betrekking te vinden. Zijn eerste wetenschappelijke publicaties dateren van 1940-1941. Een ervan, in het Duits, verscheen in het (Nederlandse) *Tijdschrift voor Rechtsgeschiedenis*.

Na een heel jaar armtierig overleven in Cambridge, kon Ullmann (al-weer dankzij Laffan) met ingang van 1 september 1939 tot leraar worden benoemd in de katholieke kostschool Ratcliffe College in Leicestershire. Zijn salaris bedroeg 50 pond (na enkele maanden 70 pond) per jaar, am-per toereikend voor de essentiële levensbehoeften. Anderzijds bood de job hem naast kost en inwoon de betrekkelijke bestaanszekerheid die hij lang had moeten ontberen. Van de vakantieperiodes maakte hij gebruik om zijn opzoekingen in de *Wren Library* verder te zetten.

In 1940 werd hij, zoals de meeste andere émigrés, als *Enemy Alien* aan-gehouden en opgesloten in een kamp op het eiland Man. Daar kreeg hij te horen dat men hem naar Australië zou deporteren. Hij kon nochtans na enkele maanden vrij komen en nam dan vrijwillig dienst in het Britse leger (eerst het *Pioneer Corps*, later de *Royal Engineers*). Na enige maanden werd hij om gezondheidsredenen ontslagen, waarna hij opnieuw zijn taak als leraar aan het Ratcliffe College opnam.

III

In 1946 verscheen zijn eerste boek, waaraan hij al die jaren in stilte had gewerkt, *The Medieval Idea of Law as represented by Lucas de Penna. A study in fourteenth-century legal scholarship*, met een inleiding door de reeds vernoemde prof. Harold-Dexter Hazeltine. Het boek oogstte niets dan lof en maakte op slag de reputatie van zijn auteur (hoewel het eerst door Cambridge University Press was geweigerd!).

Diverse universiteiten poogden hem nu aan te trekken. Hij verliet Ratcliffe College en aanvaardde een betrekking van *Lecturer* aan de universiteit van Leeds. Intussen bleef hij onderzoeken en publiceren, in 1948 bijvoorbeeld *The Origins of the Great Schism. A study in fourteenth-century ecclesiastical history*. Zijn wetenschappelijke belangstelling had hij nu verplaatst naar een fundamenteel thema van politieke geschiedenis, te weten de verhouding tussen 'kerk' en 'politieke macht', in het bijzonder rond het politiek optreden van de pausen (zie paragraaf IV).

Het duurde niet lang voor Ullmann in 1949 een voorstel kreeg om aan de universiteit van Cambridge *Lecturer in Medieval History* te worden, wat hij natuurlijk dolgraag aanvaardde. Toen hij nog in Wenen leefde was 'Cambridge' reeds zijn verre universitaire droom, en nu was hij er, en uitsluitend op eigen krachten! Hij werd wat later ook *Fellow* van het luisterrijke Trinity College (die de vaak bezochte *Wren Library* huisvestte).

Daarna verliep zijn loopbaan in Cambridge rimpelloos: *Reader* in *Medieval Ecclesiastical Institutions* in 1965, *ad hominem* hoogleraar in *Medieval Ecclesiastical History*, en eindelijk hoogleraar, titularis van de leerstoel *Medieval History* van 1972 tot zijn emeritaat in 1978. In 1968 was hij ook *Fellow van de British Academy* geworden.

Ullmann heeft er nooit ernstig aan gedacht naar Oostenrijk terug te keren. Hij vreesde dat de afgunst van de tweederangs collega's die onder het nazisme in Oostenrijk waren gebleven hem het leven heel zuur zou maken.

Walter Ullmann overleed in Cambridge op 18 januari 1983. In 1990 publiceerde zijn weduwe Elizabeth Ullmann een aangrijpend boek over zijn werk, zijn levensverhaal en zijn aanpassing in Engeland.[32]

IV

Het werkgebied van Walter Ullmann lijkt op een eerste gezicht wat stofferig en weinig relevant, maar niets is minder waar. Uit zijn talrijke studies over de politiek der pausen in de middeleeuwen bleek inderdaad dat de

---

[32] E. Ullmann, *A tale of two cultures*, Cambridge, 1990.

spanning tussen het pausdom en de civiele samenleving in hoofdzaak te maken had met de aard en de bron van de politieke macht. Hierbij identificeerde Ullmann twee tegengestelde stromingen, te weten een 'descendente' die alle burgerlijke en kerkelijke macht op elk niveau afleidde van God (*omnis potestas a Deo*), en een 'ascendente' die stelde dat de bron van elke politieke macht zich bevond bij het volk dat deze macht geheel of ten dele aan zijn heersers kon delegeren. Deze tegenstelling zag Ullmann vooral als een intellectueel model voor het beter situeren en duiden van de wisselende politieke spanningen. Voor hem was de moeizame overwinning van de ascendente stroming de ware grondslag van de politieke orde in het Westen. Hij betoogde bijvoorbeeld dat de Verenigde Staten van Amerika bij hun ontstaan de legitieme erfgenaam waren van de Europese middeleeuwen.

Ullmann heeft onzettend veel gepubliceerd: meer dan vierhonderd boeken, tijdschriftartikels en boekrecensies – dit alles onderbouwd door de veeleisende wetenschappelijke methode die hij in Oostenrijk had aangeleerd. De Gentse rechtshistoricus prof. Raoul van Caenegem die met hem in Cambridge bevriend raakte bevestigt dat Ullmann, hoe Engels ook in zijn levenswijze, steeds een solide *continental scholar* bleef die graag discussies over ideeën en theorieën aanging.[33]

Wat Ullmann alleszins heel bijzonder maakt is dat hij in zijn geboorteland werd opgeleid als jurist en parketmagistraat en dat hij pas na zijn emigratie op eigen krachten een algemeen gerespecteerd specialist van de middeleeuwse geschiedenis werd.

---

[33]   R. van Caenegem, 'Legal historians I have known: a personal memoir', *Rechtsgeschichte. Zeitschrift des Max-Planck-Instituts für europäische Rechtsgeschichte*, 2010, pp. 288-291.

HOOFDSTUK 10

Gerhard Leibholz (1901-1982)[34]
Joods émigré in 1938, rechter in het Duits Grondwettelijk Hof in 1951

Kort voor de beruchte Reichskristallnacht *van november 1938 emigreerde prof. Gerhard Leibholz, een vermaard hoogleraar staatsrecht aan de universiteit van Göttingen, naar Engeland. In dit land werd hem niet de minste academische opdracht toevertrouwd. Bij onderzoeksprojecten werd hij evenmin betrokken. Hij onderhield er enkele familiale contacten met de binnenlandse weerstand tegen het nazisme, adviseerde een lid van het* House of Lords *dat Churchills beleid t.o.v. Duitsland op de korrel nam, en dacht na over middelen om de christelijke inspiratie in de politiek te herstellen. In 1951 werd hij een van de eerste rechters van het Duitse Grondwettelijk Hof.*

I

Op 28 september 1951 werden in Karlsruhe, de aloude hoofdstad van het groothertogdom Baden, het Duitse Grondwettelijk Hof (*Bundesverfassungsgericht*) en zijn eerste leden plechtig aangesteld. Het hof vervult sedert zijn ontstaan een overwegende rol in het behoud van de rechtsstaat en de pluralistische democratie in Duitsland. Het mag immers, zoals bijvoorbeeld ook het *Supreme Court* van de Verenigde Staten, elke wet vernietigen die het strijdig acht met de federale grondwet.

Bij de installatie van een welbepaald rechter heerste in de zaal een bijzondere stilte. Het nieuwe lid Gerhard Leibholz werd inderdaad in 1935 als 'voljood' verwijderd uit de rechtenfaculteit van Göttingen en was even voor de progroms en de *Reichskristallnacht* van november 1938 met zijn gezin naar Engeland geëmigreerd.

Voortaan zou Leibholz tot zijn emeritaat in december 1971 zijn beste krachten inzetten voor het herstel van een open samenleving in zijn land. Als magistraat besteedde Leibholz bijzondere aandacht aan de dossiers be-

---

[34] Verder: M.H. Wiegandt, in: *Jurists Uprooted, o.c.*, pp. 535-585.

treffende politieke partijen, een thema dat hij reeds had aangesneden in zijn dissertatie voor de *Habilitation*. Hij speelde een bepalende rol in de rechtspraak van het Grondwettelijk Hof over de functie van de partijen in een pluralistische democratie. Ze zijn 'noodzakelijke bestanddelen van de grondwettelijke structuur' en bovendien 'functioneel grondwettelijke organen' vermits zij deelnemen aan de vorming van de politieke wil van het volk. In bepaalde gevallen mogen zij zelfs als procespartij optreden in zaken die voor het hof worden gebracht.

II

Gerhard Leibholz werd op 15 november 1901 in de chique Berlijnse wijk Charlottenburg geboren als zoon van Wilhelm, een welstellende textielnijveraar (en plaatselijk schepen voor de links-liberale *Deutsche Demokratische Partei*) en zijn echtgenote Regine Netter die reeds overleed toen Gerhard 21 was. Beide ouders stamden uit rijke Joodse industriële families. De boreling werd, zoals dit in deze kringen gebruikelijk was geworden, in de Lutherse kerk gedoopt.

Over Gerhards jeugdjaren zou niet veel te vertellen zijn ware het niet dat hij op zijn 15-16 jaar bevriend werd met Hans von Dohnanyi (1902-1945), telg van een oude Hongaarse familie, die deel uitmaakte van de 'clan' rond de broers en zussen Bonhoeffer, de kinderen van een gezien Berlijns neuro-psychiater. Om de lezer niet op zijn honger te laten wordt onmiddellijk gepreciseerd dat de twee vrienden elk een van de zussen Bonhoeffer huwden, Gerhard met Sabine, Hans met Christel.

Sabines tweelingbroer Dietrich Bonhoeffer (1906-1945) was de natuurlijke leider van de 'clan' waarvan de leden reeds op jeugdige leeftijd respect afdwongen door hun zin voor het religieuze alsmede door hun democratische gezindheid in een jonge Weimarrepubliek die in de burgerij doorgaans werd gehoond. Deze jonge mensen bestreden het nazisme vanaf zijn ontstaan. Dietrich, die luthers predikant werd, scheurde zich zelfs af van de officiële protestantse kerk die naar zijn zin te weinig weerstand bood aan het nazisme.

Alle leden van de 'clan' (behalve Gerhard en Sabine Leibholz die immers naar Engeland waren geëmigreerd) werden tijdens de laatste dagen van het Hitler regime (april 1945) in het concentratiekamp van Flossenburg met pianosnaren opgehangen.

Met het einde van de Eerste Wereldoorlog en het begin van een revolutie in Berlijn namen enkele leden van de 'clan' (onder wie Leibholz) in januari-mei 1919 dienst in een vrijkorps (*Grenzschutz*) dat de oprukkende 'bolsjewieken' in de Baltische gewesten bestreed.

Na humaniora in het Mommsen Gymnasium (waar hij bitter weinig Engels leerde), studeerde Gerhard eerst wijsbegeerte aan de universiteit van Heidelberg, later rechten aan de Friedrich-Wilhelms universiteit van zijn geboortestad. In Heidelberg kwam hij zeer onder de invloed van enkele links-liberale professoren (leden van de *Deutsche Demokratische Partei* zoals zijn vader) die zijn democratische overtuiging stimuleerden en met de nodige filosofische en politieke argumenten voedden. Reeds in 1920 werd hij doctor in de wijsbegeerte met een dissertatie waarover hij in zijn latere leven liever niet meer praatte.

In de Berlijnse rechtenfaculteit waren de meeste professoren de democratie aanzienlijk minder welgezind. Gerhard bleef daarom liever aan de politieke zijlijn staan en concentreerde zich geheel op zijn studies die hij beëindigde in 1922. Hij zette zich onmiddellijk aan het schrijven van een dissertatie over 'gelijkheid voor de wet', die hem in 1925 niet enkel een doctorsbul opleverde maar hem ook op het voorplan plaatste van de jongere generatie specialisten van het staatsrecht.

Hij verdedigde inderdaad een toen erg vooruitstrevende gedachte die intussen gemeengoed is geworden in de mensenrechtenverdragen en in de rechtspraak van talrijke nationale grondwettelijke rechtbanken. Leibholz' uitgangspunt was dat de gelijkheidsregel in een massademocratie een fundamenteel andere interpretatie en toepassing behoeft dan in de individualistische 19de eeuw. De gelijkheidsregel mocht niet meer zoals voorheen enkel gelden voor het openbaar bestuur en de rechtbanken, ook de wetgever moest eraan worden onderworpen. In een democratische rechtsstaat diende immers de wetgever gebonden te zijn door de fundamentele rechten die de grondwet waarborgt. 'Gelijkheid voor de wet' betekende dus niet meer uitsluitend 'gelijke toepassing van de wet', het moest bovendien 'gelijke bescherming door de wet' inhouden.

Concreet hield deze stelling in dat vooral 'willekeurige' (arbitraire) wetgeving in strijd was met de grondwettelijke gelijkheidsregel. Een ongelijke behandeling van burgers door de wetgever kon nog enkel worden toegestaan indien hiervoor volgens het algemeen rechtsbesef een redelijke grond bestond. Het kwam de rechtbanken toe zich over dit rechtsbesef uit te spreken.

Een fraai juridisch werkstuk dat een politieke storm uitlokte. Aan behoudsgezinde zijde verweet men Leibholz dat zijn geavanceerde opvatting in strijd was met de tradities van de Duitse rechtspraak en rechtsleer. In de meer progressieve kringen vreesde men een rechterlijke afbraak van de moeizaam verworven sociale wetgeving. Met name de sociaal-democratische partijdenker Hugo Sinzheimer (de latere patron van Otto Kahn-Freund, hoofdstuk 4) sloeg de nagel op de kop: geen enkele bepaling van de arbeids- en sociale wetgeving zou de nieuwe interpretatie overleven, vermits deze regels door hun aard zelf ongelijkheid veroorzaken nu zij er precies toe strekken de zwakkeren te beschermen tegen de machtigen. De conservatieve rechters (toen een grote meerderheid) zouden maar graag het 'rechtsbesef' inroepen om de sociale bescherming van de baan te ruimen.

Hoe dan ook, een van Leibholz' eerste intellectuele voldoeningen als rechter in het Grondwettelijk Hof vanaf 1951 was de aanneming door dit hof van de stelling die hij in 1925 in zijn doctorale dissertatie had verdedigd. Het hof bevestigde immers dat de betrokken grondwetsbepaling wel degelijk een 'willekeurig' onderscheid verbiedt. Dat de wetgever evenals de andere staatsmachten door de gelijkheidsregel is gebonden (ook al een stelling van Leibholz) moest het hof niet preciseren vermits deze regel nu formeel in de Duitse grondwet is opgenomen (*Grundgesetz*, hoofdstuk I, art. 19). Leibholz was zo blij dat hij enige tijd later (1959) een tweede uitgave van zijn oorspronkelijke dissertatie liet verschijnen.

Leibholz' naam was in 1925 op alle lippen en men keek uit naar wat hij nog zou publiceren. Intussen huwde hij Sabine Bonhoeffer en werd hij als onderzoeker aangeworven door het *Kaiser Wilhelm Institut* dat zich toelegde op het buitenlands staatsrecht en het volkenrecht. Aan Leibholz werd opgedragen het publiek recht van het fascistische Italië te onderzoeken. Het kan zijn dat Leibholz op politiek gebied vrij naïef was vermits hij, nochtans een trouw democraat, weinig bezwaren kon inbrengen tegen de fascistische hervormingen, waarvan hij sommige zelfs aanprees. Dit bezorgde hem (ook later, in Engeland) de reputatie dat hij een sympathisant van het fascisme was.

Parallel met zijn Italiaans onderzoek, voltooide Leibholz nu ook de dissertatie die hij moest verdedigen om de *Habilitation* te behalen. Het werk had betrekking op 'politieke vertegenwoordiging' en verdedigde een stelling die de auteur ook later, als lid van het Grondwettelijk Hof, verder uitbouwde, te weten dat de moderne massademocratie, anders dan de individualistische liberale staat, behoefte heeft aan voortreffelijk functionerende politieke partijen (zie paagraaf I). Ook deze thesis veroorzaakte allerlei polemieken, waaruit alleszins blijkt dat Leibholz de intellectuele confrontatie niet uit de weg ging.

III

Het verbaast niet dat Leibholz kort na zijn *Habilitation* vanwege de minister van justitie (tevens voorzitter van de *Deutsche Demokratische Partei*) het voorstel kreeg om zijn privé-secretaris te worden. Leibholz, die geen politieke ambitie had, weigerde en stelde de benoeming voor van zijn vriend en toekomstig zwager Hans von Dohnanyi, waarmee de minister instemde. Interessant is dat Dohnanyi, zelf een fervent tegenstander van het nazisme, deze functie bleef vervullen onder het bewind van de nationaal-socialistische ministers van justitie. Het moet zijn dat hij zijn persoonlijke overtuiging en zijn clandestiene activiteiten in het verzet goed kon verbergen. Hoe dan ook, door zijn ambt bezat hij allerlei geheime informatie die hij aan zijn vrienden en medestanders kon meedelen. Het is overigens na een tip van Dohnanyi dat Leibholz in september 1938 besloot hals over kop te emigreren.

Veeleer dan zich in de politiek te storten, aanvaardde Leibholz, nog geen dertig, een benoeming als hoogleraar aan de oude (1456) universiteit van Greifswald in Pommern. Kort erna (en nog steeds geen dertig) volgde de benoeming tot hoogleraar Staatsrecht in de prestigieuze universiteit van Göttingen. Deze benoeming was niet van een leien dak gelopen. De rechtenfaculteit had Leibholz niet eens in de voordrachtenlijst opgenomen. Bij navraag en verder onderzoek door de socialistische minister van onderwijs, moest de faculteitsdecaan toegeven dat zijn collega's de benoeming van een Jood of van een katholiek hadden willen verhinderen.

Leibholz voelde zich niet prettig in een faculteit die hem niet had voorgedragen en hem eigenlijk niet wenste. In Göttingen schreef hij een hoofdzakelijk beschrijvend boek over de achteruitgang van de liberale democratie en de opkomst van autoritaire regimes. Toen het boek van de pers kwam hadden de nazi's reeds de macht genomen.

Krachtens de wet van 7 april 1933 op het openbaar ambt (zie hoofdstuk 13, 4.1) moest Leibholz als 'voljood' uit zijn ambt worden ontslagen. De wet voorzag nochtans in een uitzondering voor de hoogleraren die tijdens de Eerste Wereldoorlog in het leger hadden gediend en voor 'gelijkgestelden', hieronder begrepen degenen die in 1918-1919 hadden deelgenomen aan de bestrijding van de revolutionaire 'bolsjewieken' in de Baltische gewesten.

Leibholz, die aan deze voorwaarde voldeed, mocht dus zijn ambt behouden, maar hij werd voortaan het voorwerp van een reeks antisemitische pesterijen en treiterijen die hem in de faculteit steeds meer isoleerden. Een hiërarchisch bevel herstelde enigszins de academische rust: de rechtenfaculteit van Göttingen moest voortaan meer egards betuigen aan de (alsnog) enige Duitse hoogleraar staatsrecht die het Italiaans fascisme vrij gunstig had besproken.

Begin 1935 maakte de nieuwe (nationaal-socialistische) faculteitsdecaan een plan bekend om de resterende Joodse collega's definitief te verwijderen. Enkele maanden later werd aan Leibholz een 'verlof voor onbepaalde duur' opgelegd. De Nuremberg-wetgeving van september-oktober 1935 (hoofdstuk 13, 4.1) maakte nochtans een verdere procedure binnen de faculteit overbodig: nu werden alle Joodse hoogleraren van rechtswege ontslagen.

In het gezin Leibholz heerste vertwijfeling: emigreren of niet? Wegens de hechte banden binnen de 'clan' Bonhoeffer, en ook omdat Gerhard niet goed wist welke professionele mogelijkheden voor hem in het buitenland bestonden, bleef men voorlopig in Berlijn. In september 1938 liet zwager Hans von Dohnanyi weten dat nieuwe maatregelen op komst waren om aan Joden buitenlandse reizen te ontzeggen, onder meer door het aanbrengen van de hoofdletter **J** (Jude) op paspoorten en identiteitskaarten. Leibholz besloot tot onmiddellijke emigratie naar Engeland.

IV

Met een tijdelijk bezoekersvisum en een ontoereikende praktijk van het Engels arriveerde Leibholz in Londen waar hij niemand kende. In het SPSL (*Society for the Protection of Science and Learning*; hoofdstuk 13, 5.2) behandelde men hem met argwaan: was hij immers geen bewonderaar van het fascisme? en waarom was hij tot 1935 hoogleraar mogen blijven terwijl de meeste émigrés reeds in 1933 werden ontslagen? En wat kon de toegevoegde waarde zijn van een hoogleraar uit een land met een geschreven grondwet in een land met een ongeschreven grondwet.

Door zijn zwager de predikant Dietrich Bonhoeffer maakte Leibholz kennis met George Bell (1883-1958), bisschop van Chichester, lid van het *House of Lords* en een ervaren netwerker. Bell kon een aantal bevriende instanties (onder meer Balliol College en Magdalen College in Oxford) bewegen om fondsen te verzamelen voor het levensonderhoud van het gezin Leibholz. Dit ging eerst bij Hastings (Sussex) wonen maar verhuisde later naar Oxford.

In de vroege zomer 1940 werd Leibholz gearresteerd als *Enemy Alien* en opgesloten in een kamp in Lancashire. Men dreigde hem met zijn gezin naar Canada of Australië te deporteren. Dank zij de tussenkomst van George Bell werd hij al op 26 juli vrijgelaten.

Tijdens zijn verblijf in Engeland had Leibholz, behalve her en der een gastcollege, geen academische bezigheden. Hoewel in Oxford wonend had hij er geen contact met het nochtans bruisende universitair leven, ook niet in de twee *colleges* die hem financieel steunden. Zijn sociale omgang was voortaan beperkt tot kerkelijke kringen, vrienden van George Bell en Dietrich Bonhoeffer. Het kan overigens verrassen dat deze democraat en specialist van het staatsrecht blijkbaar geen belangstelling toonde voor de concrete werking van de Engelse democratie in oorlogstijd. Van hem is bijvoorbeeld enkel geweten dat hij in een brief aan Mgr. Bell juridisch bezwaar maakte tegen de gelijke behandeling van de diverse types van Enemy Aliens door de Engelse autoriteiten zonder na te gaan of de bedoelde émigrés al dan niet vervolgd waren geweest in eigen land.[35]

Het grootste deel van zijn tijd investeerde hij in het verstrekken van inlichtingen en politiek advies aan George Bell die de kunst beoefende om Churchill herhaaldelijk te irriteren met snedige vragen over de oorlogsvoering met Duitsland. Waarom nam de Britse regering geen contact op met het binnenlands verzet in Duitsland, zeker na de mislukte aanslag op het leven van Hitler door graaf Claus von Stauffenberg (1907-1944) op 20 juli 1944 (*Operation Walkyrie*)? Welke was de morele en zelfs militaire verantwoording van het urenlang bombarderen van ganse stedelijke gebieden (*area bombing, carpet bombing*) met de dood van talloze burgers tot gevolg? Wat waren de Britse plannen voor het naoorlogse Duitsland: totale (industriële) destructie (zoals sommigen voorstelden) of heropbouw in samenwerking met de bevolking?

Wegens de bureaucratie duurde het nog tot de lente 1947 voor Leibholz een reis naar Duitsland kon ondernemen. Intussen was hij reeds herhaaldelijk aangeschreven door de universiteit van Göttingen om er zijn oude leerstoel Staatsrecht terug op te nemen. Leibholz had nochtans twijfels over de evolutie van de mentaliteiten in zijn geboorteland. Hij was onder meer erg verbitterd door de gerechtelijke vrijspraak van de leden van de krijgsraad die in april 1945 diverse leden van de 'clan' Bonhoeffer hadden veroordeeld tot de dood door ophanging met pianosnaren. Bij zijn aanvaarding van een ambt in het Grondwettelijk Hof had hij overigens bedongen dat hij een vervroegd pensioen mocht aanvragen zo een regime of regering aan de macht kwam die zich vrijblijvend of onverschillig zou opstellen t.a.v. de gruwelen van het nazisme.

Een vaste benoeming in Göttingen weigerde hij dus voorlopig, maar als gasthoogleraar doceerde hij er herhaaldelijk. Met zijn benoeming als lid van het Grondwettelijk Hof (september 1951) werden de banden met Göttingen aangespannen. Het gezin Leibholz ging er nu ook wonen en hij aanvaardde in 1958 een benoeming als hoogleraar en directeur van het nieuw opgerichte Instituut voor politieke wetenschap en algemene staatsleer.

In maart 1970 kwam een einde aan zijn hoogleraarschap maar hij bleef nog lang actief in het Instituut. Een jaar later verstreek ook zijn mandaat als lid van het Grondwettelijk Hof.

Gerhard Leibholz overleed in Göttingen op 19 februari 1982.

[35]   Zie verder: G. Hirschfeld ed., *Exile in Great Britain. Refugees from Hitler's Germany*, 1984, p. 178.

HOOFDSTUK 11

Ernst J. Cohn (1904-1976)[36]
Thuis in Duits en Engels recht

Ernst Cohn, op zijn 28 jaar tot hoogleraar in het privaatrecht benoemd, werd het jaar daarop ontslagen omdat hij een Jood was. Met zijn omvangrijke bibliotheek emigreerde hij naar Londen waar hij Engels recht studeerde. Als soldaat in het Britse leger maakte hij de hele Tweede Wereldoorlog mee, waarna hij in Londen met aanzienlijk succes een drukke advocatenpraktijk uitbouwde en nog hoogleraar werd in King's College.

I

Ernst-Joseph Cohn werd op 7 augustus 1904 geboren in de Silezische stad Breslau (nu Wroclaw, in Polen) als zoon van de Joodse koopman Max Cohn en zijn echtgenote Charlott Rusz.

Hij ging rechten studeren aan de universiteiten van Leipzig, Breslau en Freiburg im Breisgau waarna hij zijn wettelijke stageverplichtingen volbracht in het *Landgericht* (rechtbank van eerste aanleg) van zijn geboortestad.

Intussen had hij in 1927 *summa cum laude* een doktersbul in de rechten verdiend met een dissertatie (*Der Empfangsbote*) over de vrij complexe juridisch-technische kwesties die kunnen ontstaan wanneer contractuele wilsverklaringen aan een gewone boodschapper worden gemaakt.

Twee juryleden waren dermate onder de indruk van Cohns talent dat ze zich onmiddellijk over zijn professionele toekomst wilden ontfermen. De ene beloofde hem een betrekking in het belangrijke advocatenkantoor van zijn broer in Berlijn. Cohn verkoos nochtans het voorstel van het andere jurylid, prof. Eberhard Bruck, die hem kon overtuigen de academische weg op te gaan.

Al snel werd hem een tijdelijke leeropdracht toevertrouwd in een vacante leerstoel van burgerlijk recht aan de universiteit van Kiel waar zijn colleges over het vrij abstracte 'algemeen deel' van het *Bürgerliches Gesetzbuch* (burgerlijk wetboek) een diepe indruk lieten bij zijn beste studenten.

---

[36] Verder: W. Lorenz, in: *Jurists Uprooted, o.c., pp. 325-344.*

Reeds in 1932 werd Cohn tot hoogleraar in het privaatrecht benoemd aan de universiteit van zijn geboortestad Breslau.

Nog voor de nazi's in maart 1933 de macht overnamen werden Cohns colleges brutaal verhinderd of onderbroken door nationaal-socialistische studenten en milities van de *Sturmabteilung* (SA). Er werd hem niet openlijk verweten dat hij een Jood was, wèl dat hij zijn benoeming tot hoogleraar aan een partijpolitieke tussenkomst te danken had. De juistheid van deze kritiek is weinig relevant vermits Cohn alleszins als Jood moest worden ontslagen op grond van de naziwet van 7 april 1933 over het openbaar ambt (zie hoofdstuk 13, 4.1). Eerst werd aan hem een 'verlof voor onbepaalde duur' opgelegd. Kort erna werd hij formeel ontslagen.

Onmiddellijk besloot hij naar Engeland te emigreren. Een bevriend bedrijfsjurist liet hem aanstellen als vertegenwoordiger van zijn onderneming in Zürich, van waar hij later naar Engeland zou reizen. Zo had Cohn een geldige reden om zijn omvangrijke bibliotheek naar Zürich, later Londen, te verhuizen, wat hem in staat zou stellen advies over Duits recht te verstrekken.

II

Een collega in Breslau had Cohn intussen in contact gebracht met de *Inn of Court* Lincoln's Inn waar hij uitzonderlijk werd aanvaard om samen met de Engelstalige aankomende *barristers* grondig te worden opgeleid in het *common law* (hoofdstuk 13, 3.4). Hij slaagde voor alle proeven en examens en werd als volwaardig lid van de Londense balie ingeschreven. Aanvankelijk beperkte zijn praktijk zich tot het verstrekken van advies over Duits recht aan andere émigrés.

Met een doctorale dissertatie over *Comparative jurisprudence and legal reform* had hij intussen een PhD van de universiteit van Londen verworven.

In 1935 huwde Cohn met Marianne Rosenbaum, een apothekersdochter uit Breslau. Drie jaar later werd hij genaturaliseerd.

Met het uitbreken van de Tweede Wereldoorlog nam hij dienst als *Private first class*, later als sergeant in het *Royal Regiment of Artillery*, waarmee hij de hele oorlog meemaakte. Tegen het einde van de oorlog werd hij juridisch adviseur bij generaal Eisenhowers SHAEF (*Supreme Headquarters Allied Expeditionary Forces*) waar hij de hervorming van het Duitse recht voor zijn rekening nam. Toen hem gevraagd werd lid te worden van het *War Crimes Department* weigerde hij omdat hij als Jood meende niet de vereiste objectiviteit te bezitten om mee te werken aan de bestraffing van oorlogsmisdadigers.

Even later verliet hij de militaire dienst om als burgerlijk ambtenaar speciaal te worden belast met juridische kwesties aangaande de militaire bezetting van Duitsland. In die periode voerde hij de indrukwekkende titel van *Standing Counsel on German Law to Rear Headquarters of the Control Commission for Germany and Austria, and to the Foreign Office German Section*.

In deze hoedanigheid schreef hij in 1950 (in samenwerking met prof. Martin Wolff; hoofdstuk 3) ten behoeve van de bezettingstroepen een *Manual of German Law* die aanzienlijke bijval kende omdat het in een bevattelijke taal het Duitse rechtssysteem schetste en de militairen de weg wees naar de juridisch correcte oplossing voor de talloze feitelijke situaties waarmee de plaatselijke bevolking hen kon confronteren. In 1968/1971 verscheen een nieuwe uitgave in twee boekdelen. De *Manual* werd ook voor de Duitsers zèlf een standaardwerk vermits er op dat tijdstip zelden een juridisch boek in de eigen taal verscheen.

In 1950 verliet Cohn het openbaar ambt en hernam hij zijn praktijk aan de balie. Zijn faam als specialist in het Duitse recht (ook van het toenmalige Oost-Duitsland) was intussen gevestigd. Dank zij een netwerk van alerte correspondenten in Duitsland bezat hij steeds de meest actuele informatie. Het volstond evenwel niet de Duitse wetgeving te kennen, men moest deze ook aan de Engelsen kunnen uitleggen met begrippen en woorden waarmee dezen vertrouwd waren. Hier speelde Cohns grondige kennis van het *common law* een doorslaggevende rol.

Deze innige vertrouwdheid met beide rechtssystemen treft men eveneens aan in de vele studies die Cohn in het Engels dan wel het Duits publiceerde over talrijke kwesties van privaatrecht die van belang waren voor de rechtspraktijk.

Over het algemeen was hij tevreden over de democratische evolutie in zijn geboorteland, hoewel hij (zoals talrijke andere émigrés) betreurde dat aan gewezen nazi's opnieuw belangrijke verantwoordelijkheden werden toevertrouwd in het gerecht, het openbaar bestuur en de universiteiten.

Dit belette hem niet zelf een bijdrage te leveren tot de intellectuele wederopbouw van Duitsland. Zo gaf hij herhaaldelijk gastcolleges aan de universiteiten van Keulen en Frankfurt am Main die hem overigens tot doctor honoris causa respectievelijk erehoogleraar benoemden.

In 1973-1974 ontmoette de auteur, alsdan gasthoogleraar te Londen, herhaaldelijk de erudiete prof. Cohn tijdens vergaderingen van het *Centre of European Law* van het King's College. Cohn was er onlangs benoemd tot *Honorary Professor of European Law* op initiatief van de faculteitsdecaan prof. Ronald Graveson (1911-1991) die zijn advocatenpraktijk in dezelfde *chambers* als Cohn bezat, en diens juridische en pedagogische talenten zeer waardeerde.

HOOFDSTUK 12

Kurt Lipstein (1909-2006)[37]
Een gouden lepeltje in de mond van de jongste émigré

Aan deze advocaat-stagiair werd in april 1933 door nazimilitanten met geweld de toegang tot het gerechtsgebouw ontzegd. Kurt had familie in Engeland en hij ging onmiddellijk Engels recht studeren in Cambridge waar hij een invloedrijk en graag gezien hoogleraar werd die vooral vermaard was om zijn publicaties over internationaal privaatrecht en rechtsvergelijking.

I

Kurt Lipstein werd op 19 maart 1909 geboren in Frankfurt am Main. Vader Alfred Lipstein (1876-1942), arts en hoofd van een kliniek, was afkomstig uit Königsberg in Oost-Pruisen. Moeder, geboren Hilde Sulzbach (1886-1942), stamde uit een welvarende Joodse bankiersfamilie van Frankfurt, onder meer verwant met de internationle bankier Max Warburg (1867-1946) die in 1938 wegens de Jodenvervolging naar de Verenigde Staten emigreerde. Beide ouders praktiseerden de Joodse godsdienst, maar Kurt werd niettemin in de lutherse kerk gedoopt. Kurts ouders werden in 1942 brutaal terechtgesteld in het concentratiekamp van Theresienstadt.

Vanaf zijn 2-3 jaar werd Kurt tweetalig (Duits-Engels) grootgebracht omdat Engels de taal was van zijn grootmoeder aan moederszijde. Aan het selecte Goethe Gymnasium volgde hij Grieks-Latijnse humaniora, terwijl een gouvernante hem Frans en wat Spaans aanleerde.

Rechten ging hij eerst in het Franse Grenoble (1927) studeren, later aan de Friedrich-Wilhelms universiteit van Berlijn (1927-1931) waar hij vooral werd geboeid door de colleges van prof. Martin Wolff (hoofdstuk 3). Hij studeerde af in 1931 en vatte onmiddellijk de professionele stage aan het *Oberlandesgericht* (hof van beroep) te Frankfurt.

---

[37] Verder: C. von Bar, in: *Jurists Uprooted, o.c.*, pp. 749-760; K. Lipstein, in: *Jurists Uprooted, o.c*, pp. 761-770.

In april 1933 werd hem als 'Jood' door milities van de *Sturmabteilung* (SA) de toegang tot het gerechtsgebouw brutaal ontzegd. Toen hij bij de voorzitter van de rechtbank ging protesteren, antwoordde deze met misplaatste humor: 'u wenst waarschijnlijk een verlof voor onbepaalde duur?'.

Het werd alleszins een verlof van héél lange duur, te weten de emigratie. In 1932 had Kurt nog een heerlijke vakantie doorgebracht bij naaste familie in Engeland en hij wist dat hij in dit land zou kunnen aarden en er alle kansen zou krijgen.

II

Het eigenlijke vertrek van de 25-jarige jongeman vond pas in 1934 plaats. Invloedrijke familieleden en de Londense hoogleraar prof. Herbert Jolowicz (zwager van prof. Martin Wolff) hadden er intussen voor gezorgd dat Kurt als student kon worden aangenomen in het befaamde Trinity College van Cambridge waar hij zich vooral zou toeleggen op Romeins recht en internationaal privaatrecht.

Financieel kwam hij eerst rond met een toelage van zijn vader. Toen dat wegens wisselbeperkingen, de oorlogstoestand en uiteindelijk de terechtstelling van zijn ouders niet meer mogelijk was, ontving hij gedurende vele jaren een rente van een welstellende Engelse grootoom.

Omdat hij financieel zelfstandig wilde zijn, nam Lipstein in 1936 deel aan een examen voor een studiebeurs van Trinity College, maar slaagde niet. In hetzelfde jaar werd wèl zijn dissertatie over een specifiek zekerheidsrecht naar Romeins recht goedgekeurd, wat hem de onontbeerlijke doctorstitel (PhD) opleverde (*Critical studies upon the Beneficium cedendarum actionum and venditio nominis*, 1936, 188 pp., niet gepubliceerd).

In 1937 mocht hij assistent worden van een van de juryleden, prof. Harold Gutteridge (1876-1953), hoogleraar rechtsvergelijking, die voor een arbeidsvergunning zorgde en hem met eigen gelden betaalde vermits de faculteit niet over voldoende mandaten beschikte. Lipstein moest voor studenten van een aantal colleges gedurende dertig uren per week *supervisions* (te Oxford bekend als *tutorials*) beleggen over Romeins recht, internationaal recht en grondwettelijk recht.

In 1938 werd Lipstein door Gutteridge als kandidaat-*barrister* geïntroduceerd in de *Inn of Court* Middle Temple waar hij een stevige opleiding in het *common law* kreeg. Het duurde nochtans tot 1950 voor hij een beperkte activiteit ontplooide aan de balie, in de *chambers* van Christie QC in Lincoln's Inn. In 1952 werd Lipstein als raadsman van Liechtenstein betrokken in de vermaarde zaak 'Nottebohm' (*Liechtenstein v. Guatemala*, 1955) waarin het ging om een Duitser die de nationaliteit van Liechtenstein had verworven om te ontkomen aan de confiscatie van zijn vermogen door Guatemala dat hem tijdens de oorlog als *Enemy Alien* had aangemerkt. In 1998 ontving Lipstein nog de onderscheiding van *Queen's Counsel* (QC) ter ere.

Tijdens het pinksterverlof van 1940 werd Lipstein, die zich intussen als vrijwilliger voor het Britse leger had aangemeld, niettemin gearresteerd als *Enemy Alien* en opgesloten in een kamp te Liverpool. Door een krachtige interventie van het universiteitsbestuur werd hij in september weer vrijgelaten.

Na de oorlog kwam er schot in zijn loopbaan. Eerst verkoos de rechtenfaculteit hem tot haar (symbolisch bezoldigd) secretaris die vooral met administratieve taken was belast. Belangrijker waren zijn academische benoemingen: *Lecturer* in 1946, en vooral *Fellow* van Clare College in 1956. Voor het eerst in zijn leven kon hij, 47 geworden, op eigen benen staan. Intussen was hij gehuwd met Gwynet Herford, een entomologe die reeds een heel avontuurlijk wetenschappelijk bestaan achter de rug had.

Verder kende Lipsteins loopbaan de vooruitgang die men kon verwachten van een man van zijn intellectuele klasse: *Reader in Conflict of Laws* in 1962, eindelijk hoogleraar (*Professor of Comparative Law*) in 1973 tot zijn emeritaat in 1976. Het jaar daarop verleende zijn universiteit hem de eretitel van *Doctor of Laws* (LL.D) die bedoeld was als erkenning van een hele wetenschappelijke loopbaan.

Intussen had Lipstein gedurende vele jaren Groot-Brittannië officieel vertegenwoordigd in internationale verdragsonderhandelingen op het gebied van het privaatrecht.

III

Kurt Lipstein was ontzettend actief in uiteenlopende juridische disciplines. Hij publiceerde ca. 600 studies in allerlei talen. De befaamde universitaire *Squire Law Library* kende voor hem geen geheimen meer. Anders dan een aantal émigrés die in dit boek worden behandeld heeft hij evenwel geen enkel boek (laat staan van blijvende betekenis) achter zijn naam staan (zijn werk van 1974 over EU-recht was vooral beschrijvend). Twee redenen kunnen dit verklaren. Hij was dermate getalenteerd dat hij met kennis van zaken over een wellicht te ruime veelheid aan onderwerpen kon schrijven. En, als uiterst beminnelijk man, kon hij moeilijk 'neen' zeggen aan een collega die hem om een bijdrage vroeg voor een tijdschrift, een *Mélanges* of een *Festschrift*. Overigens aarzelde Lipstein nooit om studenten en zelfs collega's bij te staan met zijn encyclopedische kennis van talrijke rechtsdisciplines. Voor deze hulp kreeg hij veelal een bedankje in een voetnoot wat hem in Cambridge de bijnaam van 'Dr Footnote' opleverde.

Vooral Lipsteins geschriften over internationaal privaatrecht getuigen van een vernieuwende geest. Misschien omdat hij een jongere man was, behoorde hij bij de eersten om na de Tweede Wereldoorlog een grote mutatie in deze discipline vast te stellen. Tot ver in het interbellum was internationaal privaatrecht 'recht voor rijke mensen' geweest: alleen zij ondernamen grote internationale reizen, huwden in het buitenland, bezaten er roerend en/of onroerend goed. Na de oorlog ontstond een heel nieuwe toestand: reusachtige volksverhuizingen (*displaced persons*), gastarbeiders, politieke vluchtelingen, democratisering van het toerisme, jonge mensen die in het buitenland gingen studeren enz. De kwesties van internationaal privaatrecht groeiden exponentieel, steeds meer verdragsregelingen werden vereist, nieuwe problemen moesten soepel maar rechtszeker worden opgelost.

Het verbaast daarom niet dat Lipstein vanaf 1968 gevraagd werd (zoals voor hem ook Otto Kahn-Freund) om een van de medeauteurs te worden van hét professioneel standaardwerk over Engels internationqal privaatrecht, *Dicey's Conflict of Laws*, later *Dicey and Morriss on Conflict of Laws*. Hij stond onder meer in voor de hoofdstukken over verworven rechten, faillissement, verrijking zonder oorzaak en arbitrage.

Daarop volgden overigens zijn zomercolleges over internationaal privaatrecht in de *Académie de droit international* in Den Haag en, in 1993, zijn verheffing tot lid van het *Institut de Droit International*.

De auteur heeft Kurt Lipstein herhaaldelijk ontmoet in Clare College, in werkgroepen van de *Académie internationale de droit comparé*, later ook in vergaderingen over EU-recht in King's College te Londen. Had men niet anders geweten, men nam hem voor een in Engeland geboren en getogen gentleman van het sportieve type, een volleerd *common lawyer* met een verbluffende kennis van vreemde talen alsmede van buitenlands en internationaal recht.

Kurt Lipstein overleed op 2 december 2006 in de gezegende leeftijd van 97 jaar. Als jongste telg van de in dit boek besproken émigrés werd hij ook de laatste overlevende.

HOOFDSTUK 13

Algemeen overzicht

1. Kantelmomenten zonder commentaar

In elk van de twaalf levensverhalen van Joodse émigrés kwamen ten minste twee kantelmomenten voor:

- het scherpe besef van de plotse instorting van alles wat men had opgebouwd;
- de overtuiging dat men enkel kon overleven en iets heropbouwen indien men naar een land emigreerde waar Joden niet werden vervolgd.

De auteur acht zich evenmin bevoegd als bekwaam om enig commentaar te maken bij de afschuwelijke menselijke gevolgen van deze kantelmomenten. Ook persoonlijke tragiek heeft recht op privacy. Hierna volgt dus enkel een zakelijk overzicht.

2. Flitsen uit de Duitse academische wereld

2.1. Studenten

Voor de aankomende juristen bestond er in Duitsland een ruime keuze van universiteiten waar ze gedurende een of meer semesters hun studies konden volbrengen. In de periode van de Weimarrepubliek (1919-1933) kon men bijvoorbeeld in niet minder dan 23 Duitse universiteiten rechten studeren.[38]

Zo brachten de twaalf in dit boek besproken émigrés als student één of meer semesters door in de volgende universiteiten:

Berlijn	7	Breslau	2
München	4	Tübingen	1
Freiburg im Breisgau	4	Straatsburg[39]	1
Heidelberg	4	Königsberg	1
Leipzig	2	Wenen	1
Frankfurt am Main	2	Innsbruck	1

---

[38] R. Zimmermann, in: *Jurists Uprooted, o.c.*, p. 52.
[39] In de bedoelde periode was Straatsburg een Duitse stad.

Weliswaar waren Wenen en Innsbruck voor de *Anschluss* van 1938 buiten-landse universiteiten. Vaak doceerden er nochtans Duitse professoren en volbrachten Duitsers er hun studies.

Twee toekomstige émigrés studeerden enige tijd te Genève, resp. Grenoble. De beslissing om in deze of gene universiteit te gaan studeren kon door uiteenlopende factoren worden bepaald, bijvoorbeeld:

- Het prestige van een bepaalde faculteit, met als typisch voorbeeld de Friedrich-Wilhelms universiteit van Berlijn;
- De nabijheid van de woonplaats om kosten te besparen. Voor studenten uit het Zuidoosten kwam bijvoorbeeld Breslau (thans Wroclaw, in Polen) in aanmerking.
- De wens om zich tijdens de laatste semesters onder leiding van een wel-bepaalde hoogleraar te specialiseren, eventueel met het oog op het voor-bereiden van een doctoraat.

De besproken émigrés ontvingen hun doctoraatsbul in vijf universiteiten: Berlijn 4; Breslau 3; Tübingen 1; Königsberg 1; Innsbruck 1.

De postdoctorale *Habilitation*, vereist voor een benoeming tot hoogle-raar (zie 2.2), werd hen verleend door: Berlijn 3; Freiburg im Breisgau 2; Frankfurt am Main 1; Wenen 1.

2.2. Hoogleraarsambten

De besproken émigrés doceerden gedurende een meer of minder lange periode aan volgende universiteiten:

Berlijn	3	Kiel	2	Freiburg im Breisgau	1
Bonn	2	Innsbruck	1	Greifswald	1
Göttingen	2	Marburg	1	Breslau	1

De kandidaat-hoogleraar moest *doctor iuris* zijn en houder van de *venia legendi* (bekwaamheidsattest voor het universitair onderwijs) die hij kon ont-vangen na verdediging van een postdoctorale dissertatie (*Habilitationsschrift*) voor een universitaire jury. Vervolgens was men enige tijd *Privatdozent* en kon men zich als kandidaat-hoogleraar aanmelden bij de universiteit van zijn keuze. Uitgaande van de binnengekomen sollicitaties maakte de rech-tenfaculteit een lijst van voordrachten op, waarna de bevoegde minister besliste zonder gebonden te zijn door de rangorde in deze voordracht.

Omdat er een ongeschreven (en grotendeels benaderende) rangorde be-stond onder de rechtenfaculteiten (met Berlijn onbetwistbaar aan de top) poogden talrijke hoogleraren een benoeming te verkrijgen in een meer luisterrijke universiteit, wat voor een aanzienlijke academische mobiliteit zorgde.

3. Flitsen uit de Engelse academische wereld

3.1 'Oxbridge'

Geen groot nieuws is het dat de Engelse academische wereld werd gedomineerd door de residentiële universiteiten van Oxford en Cambridge. Bepaalde onderdelen van de universiteit van Londen (vooral de London School of Economics and Political Science, LSE) werden gerespecteerd voor het niveau van hun onderricht en/of onderzoek. De zgn. 'provinciale' universiteiten waren niet talrijk en bovendien van ongelijke kwaliteit, alleszins voor de rechtenstudie. Vaak konden hun beste docenten en onderzoekers overigens niet weerstaan aan de lokroep van een 'bevordering' naar Oxford of Cambridge.

3.2. Waar kwamen de Duitse émigrés terecht?

De bestudeerde émigrés kwamen terecht in de volgende universiteiten:

Oxford	F. Schulz		H. Mannheim
	M. Wolff		G. Schwarzenberger
	F. Pringsheim	Andere	C. Schmitthoff
Cambridge	W. Ullmann		E.J. Cohn
	K. Lipstein		W. Ullmann
LSE (Londen)	F.A. Mann	Geen	G. Leibholz
	O. Kahn-Freund		(woonde in Oxford)

Zoals bijvoorbeeld blijkt uit het levensverhaal van F. Schulz, M. Wolff en F. Pringsheim, betekent de aanwezigheid van een émigré in een universiteitsstad niet noodzakelijk dat hij er betrokken werd bij het universitair en academisch leven. Velen hebben rauwe eenzaamheid gekend.

3.3. De universitaire loopbaan

Zoals in Duitsland besliste een jong afgestudeerde vrij snel of hij aangetrokken was door een loopbaan aan de universiteit. Twee sporen waren beschikbaar.

- De eigenlijke universitaire loopbaan vereiste dat de kandidaat-hoogleraar in het bezit was van een doctoraatsbul (PhD). De *cursus honorum* verliep normaal als volgt, afhankelijk van ieders wetenschappelijke verdiensten: Lecturer, Senior Lecturer, Principal Lecturer, Reader, Professor (met of zonder bijzondere leerstoel). Enkele jongere émigrés konden de kans grijpen om op dit spoor in het universitair circuit te worden opgenomen.

- Binnen de autonome *colleges* die in Oxford en Cambridge de universiteit samenstelden werden leden van het academisch personeel belast met het houden van *tutorials* (in Cambridge: *supervisions*) over de belangrijkste materies van het universitair leerprogramma. Dit zijn wekelijkse interactieve ontmoetingen van ca. een uur tussen de *tutor* en een student tijdens welke een door deze geschreven *essay* door de *tutor* kritisch werd doorgenomen en besproken. Om *tutor* te worden was geen doctoraat vereist. Soms waren *tutors* recent afgestudeerden die aan een doctoraatsthesis werkten om in aanmerking te komen voor het traditioneel universitair circuit. Vaak waren het (al dan niet van een doctorsbul voorziene) *Fellows* die er de voorkeur aan gaven tijdens hun ganse loopbaan *tutor* te blijven en de vrij gebleven tijd te besteden aan de administratie van het *college* en/of aan eigen publicaties die dikwijls van hoog niveau waren. Een aantal émigrés werden herhaaldelijk ingezet om *tutorials* te verzekeren.

3.4. Het leerprogramma

Het leerprogramma van Cambridge, normaal gespreid over drie jaar, behelsde tijdens de jaren 1930 de volgende materies:[40] contractenrecht, aansprakelijkheidsrecht, onroerende eigendom (*land law*), strafrecht, Romeins recht, internationaal recht, roerende eigendom (*personal property*), huurovereenkomsten. Meer gespecialiseerde materies (bijvoorbeeld internationaal privaatrecht) konden tijdens een vierde jaar worden gevolgd. Het programma van Oxford was in dezelfde zin samengesteld.

Dit programma was bedoeld als een algemene opleiding. Het gaf geen toegang tot de juridische beroepen van *barrister* of *solicitor*. Wie een van deze beroepen wilde uitoefenen moest de bijzondere rechtenopleiding volgen die door de bevoegde beroepscorporaties werd ingericht, de vier *Inns of Court* (Lincoln's Inn, Gray's Inn, Inner Temple, Middle Temple) voor de kandidaat-*barristers*, de *Law Society* voor de kandidaat-*solicitors*. Om tot deze bijzondere opleiding te worden toegelaten was geen universitair diploma in de rechten vereist. Een ingenieur of een slimme kantoorbediende kon *barrister* of *solicit*or worden zo hij maar slaagde in de proeven die door de beroepscorporatie waren ingericht. Een aantal émigrés verwierf langs deze weg grondige kennis van het *common law*.

Omdat de universitaire opleiding in de rechten bedoeld was als een inleidend overzicht van de materie, oordeelde de universiteit veelal dat hoog gespecialiseerde émigrés niet in staat waren om aan deze eis van laagdrempeligheid te voldoen.

---

4. Duitse en Engelse wetgeving

4.1. Joodsvijandige wetten in Duitsland[41]

Hoewel Duitsland kon bogen op een lange traditie van antisemitisme is het pas met de machtsovername door de nazi's in 1933 dat een aanvang werd gemaakt met een systematische bij wet ingerichte vervolging van Joodse medeburgers. Voor de Joodse émigrés van de jaren 1930 speelden enkele rijkswetten een cruciale rol.

- Een wet van 7 april 1933 beoogde de hervorming van het openbaar ambt met inbegrip van de universiteitsprofessoren en magistraten. Met name alle 'Joodse' leden van dit ruim omschreven openbaar ambt werden verplicht uit hun ambt ontslag te nemen. 'Jood' was voor deze wet al wie ten minste één Joodse grootouder had (*Vierteljude*). Er werd voorzien in enkele uitzonderingen die vooral van belang waren voor de oudere generatie. Zo was de wet niet van toepassing op: de 'frontsoldaten' van de Eerste Wereldoorlog (*Frontkämpferprivileg*); al wie tijdens deze oorlog een vader of zoon had verloren; allen die uiterlijk op 1 augustus 1914 in het openbaar ambt waren benoemd. Een afzonderlijke bepaling machtigde de minister om op eigen gezag een Joods personeelslid naar een ander ambtsgebied over te plaatsen (zelfs in een lagere rang).

- Een andere wet van 7 april 1933 wees aan de *Rechtsanwaltkammern* (plaatselijke organisaties van de balie) de bevoegdheid toe om Joodse advocaten uit het tableau te schrappen. De definitie van 'Joods' en de uitzonderingen stemden overeen met die in de eerste wet van dezelfde datum. Door dit *Berufsverbot* verdwenen ca. 1.500 Joodse advocaten uit het tableau.

- Ter uitvoering van een der beruchte 'Nuremberg-wetten' van 15 september 1935 (het *Reichsbürgergesetz*) legde een verordening van 14 oktober 1935 aan Joden voortaan het verbod op om nog enig ambt uit te oefenen in het openbaar bestuur als hierboven omschreven, d.i. met inbegrip van hoogleraren en magistraten. Wie reeds in dienst was moest uiterlijk op 31 december 1935 ambtshalve worden ontslagen. Voor deze wet golden niet de uitzonderingen van de wetgeving van 1933. Al wie 'Joods' was moest nu worden verwijderd uit onder meer de universiteiten en de rechtbanken.

Op grond van deze wetten werden 88 Joodse hoogleraren in de rechten ambtshalve ontslagen, hetzij 17,7% van het totaal aantal juridische hoogleraren.[42]

---

41 Verder: R. Zimmermann, in: *Jurists Uprooted, o.c.*, pp. 1-71.
42 R. Zimmermann, in: *Jurists Uprooted, o.c.*, pp. 50-51.

4.2 Internering van Enemy Aliens in Engeland[43]

Nadat de Jodenvervolging in 1933 uitbrak en talloze Duitsers naar Engeland wilden emigreren, voerde dit land in mei 1938 een beperkende wetgeving in betreffende inreisvisums. Voortaan zou bij het al dan niet verlenen van een visum onder meer rekening worden gehouden met de mogelijkheden en behoeften van de Engelse arbeidsmarkt en zou men in het bijzonder controleren of de aanvrager over voldoende bestaansmiddelen beschikte om zich in het land zelfstandig te kunnen bereddereren. Vooral laatstgenoemd criterium vertraagde of verhinderde de overkomst van academische émigrés die vaak veel moeite hadden om in Engeland een geschikte betrekking of een andere inkomstenbron te vinden.

Met de Engelse oorlogsverklaring van 3 september 1939 werden alle Duitse en Oostenrijkse onderdanen die zich in Engeland bevonden van rechtswege als *Enemy Aliens* (vijandige vreemdelingen) aangemerkt. De regering kon hierbij terugvallen op de ervaring tijdens de Eerste Wereldoorlog, vooral *de Defence of the Realm Acts* van 1914-1916. Deze wetgeving machtigde de regering om, met het oog op de openbare veiligheid, *Enemy Aliens* zonder enige vorm van proces te interneren, soms zelfs te deporteren naar onder meer Canada of Australië. De oude wetgeving werd opgesmukt en kreeg gedetailleerde uitvoeringsverordeningen (vooral de beruchte *Regulation 18b*) zodat in mei-juni 1940 ca. 27.000 in Engeland aanwezige Duitsers en Oostenrijkers werden gearresteerd en in kampen opgesloten, waar ze meestal ettelijke maanden verbleven. De meeste in dit boek besproken émigrés deelden dit lot.

De feitelijke toestand week nochtans op ten minste twee punten af van het precedent in 1914-1918.

- Talrijke zgn. *Enemy Aliens* hadden Duitsland of Oostenrijk verlaten omdat zij tot emigratie werden genoopt door de Jodenvervolging vanwege het naziregime. Op welke grond kon men hen dan als 'vijanden' beschouwen nu zij toch op de eerste plaats 'slachtoffers' waren van Engelands vijand?
- Omdat de naziwetgeving de Joodse émigrés, precies wegens hun emigratie, van rechtswege van hun Duitse nationaliteit beroofde, waren deze juridisch gezien geen *aliens* meer, maar staatloze burgers (*stateless*), d.w.z. zonder nationaliteit. Over dit bezwaar werden heftige discussies gevoerd. Volgens de Britse regering was Duitsland op grond van het internationaal recht er alleszins in oorlogstijd niet toe gerechtigd aan haar onderdanen hun nationaliteit te ontnemen enkel omdat ze naar een ander land emigreerden. Engeland mocht dus met deze 'onrechtmatige' nazi-

---

43 Verder: R. Beatson, in: *Jurists Uprooted, o.c.*, pp. 73-104.

maatregel geen rekening houden zodat elke Duitser en Oostenrijker wel degelijk een *Enemy Alien* bleef. Weinig émigrés hebben de subtiliteit van deze opvatting op prijs gesteld, laat staan begrepen.

5. De emigratie

5.1. Tijdsverloop

Welk concreet feit gaf aan de besproken émigrés het duidelijk besef dat de Jodenvervolging het einde van hun persoonlijke loopbaan betekende? Wanneer besloten ze te emigreren? Wanneer emigreerden ze effectief?

De 'concrete' feiten vat men makkelijk samen: kennisneming van de Joodsvijandige wetgevingen van april 1933 en september-oktober 1935 (Nuremberg-wetten); gedwongen ontslag of gelijkwaardige beslissing; gewelddadige verhindering van de beroepsuitoefening (verbod van toegang tot de rechtbank of de collegezaal); de mededeling door het nazibestuur dat men 'Joods bloed' heeft; de programs en de *Kristallnacht* van 9-10 november 1938.

De termijn tussen het duidelijke besef van de catastrofe en de effectieve emigratie varieerde volgens de generatie waartoe de émigré behoorde. Bij de oudere generatie was deze termijn merkelijk langer dan bij de jongere. In de tabel hierna drukken we deze termijn uit in een aantal maanden:

F. Schulz (° 1879)	76	G. Schwarzenberger (° 1908)	7
M. Wolff (° 1872)	61	F.A. Mann (° 1907)	6
F. Pringsheim (° 1882)	43	C. Schmitthoff (° 1903)	4
G. Leibholz (° 1901)	36	W. Ullmann (° 1910)	3
K. Lipstein (° 1909)	9	O. Kahn-Freund (° 1900)	3
E.J. Cohn (° 1904)	9	H. Mannheim (° 1889)	3

Talrijke verklaringen dienen zich aan. De ouderen hadden reeds veel opgebouwd en hadden dus heel wat te verliezen terwijl de jongeren pas aan hun loopbaan waren begonnen en zich klaar voelden voor een nieuwe uitdaging in Engeland. Deze jongeren wisten overigens dat hen daar op korte termijn geen luisterrijke betrekkingen te wachten stonden en dat zij zich dus zo spoedig als mogelijk in het Engelse recht moesten bekwamen. Anderzijds hadden de geleerden van de oudere generatie de absolute top in hun discipline bereikt zodat het bijzonder moeilijk was om in Engeland een evenwaardige, minstens acceptabele, positie te vinden. De nodige onderhandelingen duurden vrij lang en wierpen overigens zelden bevredigende resultaten af. Bijzonder relevant is eveneens dat de ontslagen hoogleraren hun rustpensioen enkel bleven genieten zolang ze in Duitsland bleven wonen.

Daarenboven meenden sommige ouderen, die reeds enkele politieke verwikkelingen hadden meegemaakt, dat de Jodenvervolging een tijdelijk verschijnsel was: 'zij zal wel voorbijgaan, zoals de mazelen, zodra de economie weer aanslaat', hoorde men.[44] Prof. Fritz Schulz zag het nog anders. Na een radiotoespraak van Hitler liet hij zich ontvallen dat geen werkelijk onheil te verwachten was van een man die een dermate beperkte kennis van de Duitse grammatica bezat…

5.2.Naar Engeland

Wie naar Engeland (of elders) wilde emigreren was op zijn eigen middelen aangewezen. De meeste kandidaat-émigrés kenden wel iemand in Engeland, bijvoorbeeld een vermogende grootmoeder, ooms en tantes (K. Lipstein); een anglicaanse bisschop die bevriend was met de lutherse zwager van de kandidaat (G. Leibholz); een gewezen leermeester die nuttige introducties bezat in Engeland (G. Schwarzenberger); een schoonfamilie (M. Wolff); een Engels collega die men reeds professioneel had ontmoet, bijvoorbeeld op een wetenschappelijk congres (F. Schulz; W. Ullmann); een gewezen student (F. Pringsheim). Internationaal erkende specialisten (prof. F. Schulz, M. Wolff, F. Pringsheim) contacteerden zonder omwegen een collega in Oxford, terwijl jongere mannen direct gingen aankloppen bij de London School of Economics and Political Science (F. Mann, O. Kahn-Freund, H. Mannheim, C. Schmitthoff). Wie niemand kende kon de hulp inroepen van mevr. Martin Wolff: haar broer prof. Herbert Jolowicz doceerde Romeins recht aan het University College te Londen en kende heel wat Engelse academici.

Uiteindelijk kwamen de meesten op een bepaald tijdstip terecht bij de te Londen gevestigde *Society for the Protection of Science and Learning* (SPSL).[45] Deze privéstichting had tot doel de buitenlandse émigrés drieeërlei bij te staan: zij poogde voor hen een geschikte betrekking te vinden in een Engelse universiteit (wat zelden van een leien dak liep, zie 6.3); zij stond vaak in voor de inreisformaliteiten en verdere contacten met het *Home Office* (ministerie van binnenlandse zaken); aan wie het nodig had poogde zij tijdelijk een bescheiden financiële bijstand te verlenen.

De oversteek naar Engeland gebeurde soms in avontuurlijke omstandigheden. Prof. en mevr. F. Schulz vertrokken eind augustus 1939 uit

---

[44] R. Zimmermann, in: *Jurists Uprooted, o.c.,* p. 3.

[45] De SPSL werd (aanvankelijk met de benaming *Academic Assistance Council*) in 1933 opgericht onder het impuls van Sir (later: Lord) William Beveridge (1879-1962) die tot 1937 directeur was van de London School of Economics and Political Science (LSE) en vooral bekend blijft als de bedenker van de na-oorlogse sociale zekerheid en de *welfare state.*

Rotterdam op het laatste schip dat nog mocht uitvaren voor de nakende oorlogsverklaring; prof. Otto Kahn-Freund en zijn echtgenote waren op vakantie in Engeland toen ze vernamen dat milities van de *Sturmabteilung* (SA) hun woning in Berlijn hadden geplunderd: ze besloten niet meer naar Duitsland terug te keren; prof. G. Leibholz verliet Duitsland hals over kop na het ontvangen van een tip over een dreigend gevaar; prof. W. Ullmann belastte een bevriende graaf, die in de kringen rond Rijksmaarschalk H. Goering rondhing, met zijn bescherming tegen de Gestapo alsmede met alle emigratieformaliteiten; prof. Ernst Cohn simuleerde een job als bedrijfsjurist in een bedrijf te Zürich om zijn omvangrijke bibliotheek te kunnen meenemen. Ook prof. Schulz en prof. F. Pringsheim slaagden erin hun gespecialiseerde bibliotheek listig naar Engeland over te brengen. Voor gezinnen met kinderen bracht de emigratie bijkomende problemen en risico's mee. Prof. F. Schulz en prof. F. Pringsheim hadden hun kinderen tijdig aan een Britse kostschool toevertrouwd, wat natuurlijk een aanzienlijke kost veroorzaakte.

6. Een opdracht in onderwijs en onderzoek?

6.1. Jongere émigrés studeren Engels recht

De jongere émigrés worden hier niet besproken – althans zolang ze op het stuk van onderwijs of onderzoek nog niets, of weinig, te bieden hadden. Ze gingen spoedig na hun aankomst Engels recht studeren en bouwden in Engeland een veelal schitterende loopbaan uit als hoogleraar of als advocaat. Sommigen onder hen (F. Mann, C. Schmitthoff) schreven in het Engels standaardwerken die internationaal nog van dagelijks gebruik zijn.

6.2. Waarschuwing

Elk wetenschapper die als zodanig in een ander land gaat werken moet zich aanpassen aan de aldaar heersende stand van zijn wetenschap. De aanpassing zal meer of minder vlot verlopen volgens de graad van vergelijkbaarheid van de betrokken discipline in het ene en in het andere land. Zo zal een Japans fysicus, chemicus of elektrotechnieker vrij snel zijn draai vinden in een Zweeds laboratorium of elektronisch bedrijf.

Voor de juridische disciplines ligt dit wat moeilijker omdat recht in elk land een in hoofdzaak nationaal karakter bezit. Een Duits specialist in aansprakelijkheidsrecht, in staatsrecht of zelfs in 'internationaal' privaatrecht zal zich in Engeland eerst vertrouwd moeten maken met de regelingen in dit land. Anderzijds zal de Duitse geleerde die gespecialiseerd is in Romeins recht of in internationaal recht zich in Engeland snel kunnen aanpassen omdat deze disciplines in beide landen nagenoeg identiek zijn.

6.3. Geleerde émigrés minder geschikt voor het onderwijs

Het inzetten van hoog gespecialiseerde émigrés voor het doceren van het traditionele leerprogramma aan *undergraduates* (de 'basisstudenten' van een Engelse universiteit) slaagde niet – zelfs indien hun taalkennis toereikend was. Prof. Martin Wolff, in Duitsland algemeen geprezen als een uitzonderlijk docent ('een meester der klaarheid') naar wie ook leergierige studenten uit andere faculteiten kwamen luisteren, kreeg in Oxford niet de minste leeropdracht (behalve een paar obligate gastcolleges) hoewel hij behoorlijk Engels sprak. Hetzelfde lot was prof. F. Schulz en prof. F. Pringsheim beschoren wier taalkennis die van Wolff overigens niet evenaarde.[46]

Het universiteitsbestuur achtte deze uitmuntende geleerden niet in staat om deel te nemen aan een vrij laagdrempelig inleidend onderricht. Deze vaststelling zegt meer over het Engels rechtenonderwijs dan over de émigré hoogleraren die immers in eigen land ook voor *undergraduates* hadden gedoceerd. Waren de Duitse studenten dan beter begaafd dan de Engelse? Men krijgt eerder de indruk dat het rechten-onderwijs in Engeland veeleer 'literair' en 'historisch' was dan 'technisch-juridisch' zoals in Duitsland. Hun eigenlijke opleiding als jurist verwierven de jonge Britten in de beroepscorporaties (zie 3.4) waar zij de juridische techniek onder de knie kregen, terwijl van een Duits student werd verwacht dat hij wetenschappelijk en technisch bekwaam was wanneer hij aan de universiteit afstudeerde en het *Staatsexamen* aflegde. Deze wezenlijk verschillende opvattingen van het rechtenonderwijs verklaren wellicht de weigerachtige houding van de Engelse universiteitsbesturen.

Omdat van het verstrekken van postgraduate (en postdoctoraal) rechtenonderwijs toen nog geen sprake was, kon men aan de émigré hoogleraren evenmin gespecialiseerde seminaries toevertrouwen. Anderzijds werden de émigrés wél herhaaldelijk ingezet voor het verzekeren van *tutorials* (zie 3.3) hoewel men hen soms hun overdreven grondigheid verweet.

De jongere generatie die een opleiding als Engels jurist had gevolgd leverde enkele hoog aangeschreven professoren die immers gepokt en gemazeld waren met de eigenheden van het Engelse rechtenonderwijs

6.4. Wetenschappelijk onderzoek en publicaties

Voor het wetenschappelijk onderzoek en de publicaties van de meest uitmuntende émigrés betoonden de Engelse universiteiten de hoogste waar-

---

[46] De kennis van het Engels was voor meer émigrés een probleem. De toekomstige rechtshistoricus Walter Ullmann uit Wenen en prof. W. Buckland, hoogleraar Romeins recht in Cambridge, voerden hun eerste conversaties in het Latijn omdat geen van beiden voldoende de taal van de andere kende.

dering. Zo verzekerden in Oxford het Balliol College en Oxford University Press aan prof. Fritz Schulz een (weliswaar schamel) inkomen zo hij zich ertoe verbond in het Engels twee boeken over Romeins recht te schrijven, wat dan ook geschiedde. Prof. Martin Wolff ontving van het All Souls College (ook in Oxford) een (eveneens schamele) onderzoekbeurs en de beschikking over een werkkamer zo hij maar zijn lopend onderzoek verderzette en een boek over (Engels) internationaal privaatrecht produceerde. Het Merton College (alweer in Oxford) garandeerde prof. F. Pringsheim gedurende vijf jaar een bescheiden inkomen mits hij in het Engels een nieuwe wetenschappelijke uitgave bezorgde van een 9de-eeuwse codificatie van het Romeins recht.

Minder geluk had aanvankelijk de weliswaar jongere prof. W. Ullmann die pas wetenschappelijke erkenning genoot en met een universitaire loopbaan kon aanvangen nadat hij in vrij armtierige eenzaamheid een baanbrekend boek over middeleeuws recht had geschreven. Ook prof. H. Mannheim kende een hele tijd zwarte sneeuw omdat geen universiteit in Engeland belangstelling had voor zijn specialiteit in het strafrecht. Hij besloot daarom deze rechtstak links te laten liggen en zich met een onderzoekbeurs voortaan nog enkel te concentreren op twee nieuwe disciplines, de criminologie en de sociologie van het recht, waarin hij nu nog als een pionier wordt erkend.

Erg uitzonderlijk was de situatie van prof. G. Leibholz. Deze vermaarde specialist van het staatsrecht (die in 1951 nog rechter werd in het Duitse Grondwettelijk Hof) verrichtte tijdens zijn verblijf in Oxford géén wetenschappelijk werk en was overigens niet verbonden aan de universiteit hoewel Magdalen College hem wel financieel bijstond. Zijn voornaamste bezigheden waren het nadenken over religieuze herbronning en het verstrekken van politiek advies aan een anglicaans bisschop die lid was van het *House of Lords*.

7. Een moeizame inburgering

7.1. Geldzorgen

Hoe het hoofd financieel boven water te houden was voor de meeste émigrés een dagelijkse zorg, zeker wanneer zij een gezin met kinderen hadden. We bekijken de voornaamste inkomstenbronnen die zij tijdens hun emigratie konden aanspreken.

- De ontslagen hoogleraren en magistraten ontvingen een rustpensioen waarvan het bedrag (ongeveer de helft van hun voormalig basissalaris) op een Duitse bankrekening werd overgeschreven. Door (al dan niet politiek gemotiveerde) wisselbeperkingen werd het steeds moeilijker om dit geld ter beschikking te krijgen in Engeland. Spoedig maakte het naziregime overigens een einde aan het betalen van een rustpensioen aan wie uit het land geëmigreerd was.

- Enkele émigrés bezaten in Duitsland enig roerend en/of onroerend vermogen. Zo dit niet reeds door het regime geconfisqueerd was kon de geëmigreerde eigenaar er alleszins door overheidsmaatregelen niet vrij over beschikken. Men heeft berekend dat de waarde van het vermogen van geëmigreerde Joden tussen 1933 en 1937 met 30 tot 50% verminderde, tussen 1937 en 1939 met 60 tot 100%.[47] De weinigen die, in het vooruitzicht van een mogelijke emigratie, bankrekeningen in het buitenland hadden geopend, zagen het saldo, wegens de duur en de kosten van hun verblijf, als sneeuw onder de zon wegsmelten.

- Zo komt het dat de meeste émigrés voor hun inkomen vaak uitsluitend afhankelijk waren van uitkeringen die hen werden uitbetaald door allerlei instanties, onder meer: de *Society for the Protection of Science and Learning* (SPSL; zie 5.2), het *Cambridge Refugee Committee*, het *Jewish Academic Committee*, de *Provisional Ecumenical Council of Churches,* de *Rockefeller Foundation*, de *Workers' Educational Association* en de Oxford-*colleges* Balliol, All Souls, Merton en Magdalen. Het bedrag van deze toelagen was meestal amper voldoende voor de gewone levensbehoeften.[48] Bovendien waren zij in de tijd beperkt zodat er geen zekerheid bestond over hun blijvende uitbetaling.

7.2. Het leven van alledag

Geldzorgen, een bescheiden woning waarin men aan onbekenden kamers verhuurde om toch rond te komen, beleefde maar onverschillige (of integendeel erg nieuwsgierige) buren, onbekendheid met de streektaal en de plaatselijke gebruiken, elke dag dezelfde onzekerheid over de toekomst, ook van de in Duitsland achtergebleven familieleden – het bestaan van de émigré professoren was niet rooskleurig. Velen vertoonden overigens de neiging om zich af te zonderen: thuis en met hun lotgenoten spraken ze enkel Duits. De familie Pringsheim zong in koor Duitse liederen voor het wijdopen raam en prof. Pringsheim nam elke kans te baat om te proclameren hoe trots hij was een Duitser te zijn. Prof. Martin Wolff, nochtans verbonden aan het All Souls College, integreerde zich niet in Oxford en bezat zijn hoofdverblijf in Londen.

---

[47] R. Zimmermann, in: *Jurists Uprooted, o.c.*, p. 41.

[48] De toelagen aan F. Schulz en F. Pringsheim bedroegen 200 pond/jaar, aan M. Wolff 300 pond/jaar. Tijdens de jaren 1930 verdiende een Fellow van een *college* te Cambridge (behalve voordelen in natura als maaltijden en logies) tussen 1.000 en 2.000 pond/jaar (volgens anciënniteit en bijkomende opdrachten vanwege het universiteitsbestuur). C.P. Snow, *The Masters* (1951), Penguin 1956, Appendix, pp. 302, 311.

Het wegvoeren van duizenden émigrés naar verre interneringskampen waar ze vaak ettelijke maanden werden opgesloten bevorderde evenmin de inburgering. Op vrije voeten of niet, deze mannen bleven het etiket van *enemy alien* dragen. Zoals telkens in dergelijke situaties draaide de geruchtenmolen op volle toeren: 'prof. Martin Wolff staat op een goed blaadje met de nazileiding; hij is de enige émigré die hier nog steeds zijn Duits pensioen ontvangt'; 'prof. Fritz Pringsheim bezit een geheime radiozender, hij is een spion'; 'waarom werd prof. Gerhard Leibholz pas in 1935 ontslagen, en niet in 1933 zoals de overige Joodse professoren? Omdat hij met het Italiaans fascisme sympathiseerde?'

De meesten aanvaardden nochtans hun lot met gelatenheid en waren hun gastland dankbaar. 'We hebben geen geld maar voor het overige is alles piekfijn' schreef prof. Fritz Schulz in 1946 aan een Duitse vriendin.
Dit vrij sombere beeld gold veel minder of helemaal niet voor de jongere émigrés. De meesten onder hen gingen Engels recht studeren, met dezelfde zorgen en mogelijkheden als hun Britse lotgenoten. Zij verwierven na de Tweede Wereldoorlog de Britse nationaliteit (E.J. Cohn reeds in 1938, O. Kahn-Freund en H. Mannheim in 1940).

7.3. Hoffelijke academische onverschilligheid

In de universiteit vonden de eenzame émigrés weinig compensaties. Dat ze geen college mochten geven aan *undergraduates* begrepen ze op den duur. Echt pijnlijk werd het toen (alweer) prof. Pringsheim, nochtans tot *Faculty Lecturer* benoemd in Oxford, te horen kreeg dat hij geen college mocht geven omdat hij een *enemy alien* was.

Gelukkig konden de émigrés ongehinderd gebruik maken van de weelderige bibliotheken in Londen, Cambridge en Oxford – een tweede thuis voor velen. Voor het overige betrok men hen zelden of helemaal niet bij het universitair gebeuren. Ze werden geen lid (laat staan *Fellow*) van het *college* dat hen nochtans financieel bijstond, ze hadden geen zeg in de rechtenfaculteit. Erger: men weigerde hen het lidmaatschap van de conviviale *Senior Common Room* (in Cambridge: *Combination Room*) van het college, nochtans hét trefpunt van de academische socialisering en gezelligheid. Mogelijk hadden de émigrés de indruk dat ze hoffelijk, vaak vriendelijk, werden getolereerd maar voor het overige op afstand gehouden.

8. Terug naar Duitsland?

Slechts één van de in dit boek behandelde professoren, de gewezen hoogleraar staatsrecht Gerhard Leibholz, keerde na een meer dan tienjarig verblijf in Oxford definitief naar zijn geboorteland terug om er in 1951 rechter te worden in het recent opgerichte Grondwettelijk Hof. Hij was toen vijftig jaar geworden en wilde bijdragen tot het herstel van de rechtsstaat. Hij had hiervoor, naast een politieke, ook een persoonlijke reden, te weten de recente vrijspraak door een Duitse rechtbank van de leden van een krijgsraad die in april 1945 zijn twee zwagers en andere verwanten in het concentratiekamp van Flossenburg had veroordeeld tot de dood door ophanging met pianosnaren.

Heel anders reageerde de gewezen socialistische student prof. Georg Schwarzenberger, wiens ganse familie (vader, moeder, broer, zussen en hun kinderen) door de nazi's was uitgemoord. Hij weigerde steevast in te gaan op herhaalde vragen van opeenvolgende leiders van de SPD (*Sozialdemokratische Partei Deutschlands*) dat hij opnieuw in zijn geboorteland aan de actieve politiek zou deelnemen.

Ook bij andere émigrés (F. Schulz, O. Kahn-Freund, F. Pringsheim, Ernst-J. Cohn) heerste enig wantrouwen over het nieuwe Duitsland. Zij namen het bijvoorbeeld niet dat aan gewezen nazi's belangrijke verantwoordelijkheden werden toevertrouwd, onder meer in de universiteiten en het openbaar ambt. F. Pringsheim vreesde vooral een heropflakkering van het antisemitisme.

Omdat zij als Joden meenden niet de nodige objectiviteit te bezitten weigerden ten minste twee émigrés (G. Schwarzenberger en E.J. Cohn) hun medewerking als lid van het openbaar ministerie te verlenen aan de vervolging en de bestraffing van Duitse oorlogsmisdadigers.

Na verloop van tijd en met de democratische evolutie van Duitsland normaliseerden zich nochtans de verhoudingen. Steeds meer gewezen émigrés gaven gastcolleges in Duitse universiteiten. Sommigen aanvaardden zelfs een benoeming tot deeltijds gasthoogleraar, bijvoorbeeld F. Schulz en F.A. Mann aan de universiteit van Bonn, E.J. Cohn in Frankfurt am Main en F. Pringsheim in Freiburg im Breisgau, de universiteit waaruit hij in 1935 was weggezonden.

Prof. G. Leibholz ging nog een stap verder. Enkele jaren na zijn benoeming in het Grondwettelijk Hof ging hij in op de vraag van de universiteit van Göttingen (zijn *alma mater* toen ook hij in 1935 werd ontslagen) om er deeltijds vast hoogleraar te worden en de directie op zich te nemen van een Instituut voor politieke wetenschap en algemene staatsleer, een functie die hij ook na zijn emeritaat bleef uitoefenen.

WOORDENLIJST[49]

Anschluss; annexatie van Oostenrijk door nazi-Duitsland, 12 maart 1938

Barrister: Engels advocaat gespecialiseerd in het voeren van processen, lid van een *Inn of Court; verstrekt ook juridisch advies in complexe zaken; geen direct contact met cliënt, enkel met de *solicitor van de cliënt

Bezettingszone: na de Tweede Wereldoorlog werden Duitsland en de stad Berlijn opgedeeld in vier militaire bezettingszones (USA, UK, Frankrijk, Sowjetunie).

BGB: Bürgerliches Gesetzbuch (burgerlijk wetboek), in voege vanaf januari 1900

Buitengewoon (docent/hoogleraar): deeltijds

Chambers: kantoorruimte waarin *barristers gezamenlijk hun beroep uitoefenen; vaak gelegen binnen de perimeter van een *Inn of Court

College: autonoom zelfbesturend bestanddeel van een universiteit, vooral Oxford en Cambridge; verleent geen diploma's, verstrekt wèl onderricht door *tutorials. Fellows en studenten krijgen er kost en inwoning.

Combination Room: benaming van de *Senior Common Room in Cambridge

Conflict of Laws: internationaal privaatrecht

Court of Appeal of England and Wales: het tweede hoogste rechtscollege, toen na het House of Lords, nu na het Supreme Court of the United Kingdom. Bevoegd in burgerlijke zaken en strafzaken.

Doctor iuris: Doctor in de rechten. Men kent uiteenlopende versies van de volledige titel: *doctor utriusque iuris, iuris utriusque doctor, doctor iuris utriusque*. Bedoeld worden telkens het burgerlijk recht en het kerkelijk recht.

Enemy Alien: zie hoofdstuk 13, 4.2

Fellow: vastbenoemd lid van het academisch personeel in een residentieel college in Cambridge of Oxford (soms ook London University)

Habilitation: postdoctorale graad vereist voor een benoeming tot hoogleraar in Duitsland; hoofdstuk 13, 2.2.

Home Office: Brits ministerie van binnenlandse zaken

Inn of Court: Beroepsvereniging en tuchtinstelling voor *barristers. Stelt allerlei faciliteiten ter beschikking: bibliotheek, kantoorruimte, restaurant. Er bestaan in Londen vier Inns of Court: Gray's Inn, Lincoln's Inn, Inner Temple, Middle Temple

Jood volgens de naziwetgeving (verordening van 11 april 1933):

Volljude: met 3 Joodse grootouders

Halbjude: met 2 Joodse grootouders

Vierteljude: met 1 Joodse grootouder

---

[49] Volgens de betekenis in de periode 1933-1945.

Kammergericht: hof van beroep van Berlijn

KC (King's Counsel) zie QC

Kristallnacht: zie *Reichkristallnacht

Law Society: beroepsvereniging en tuchtinstelling voor *solicitors

Lecturer: universitair lesgever, eerste stap in de loopbaan

LSE: London School of Economics and Political Science

Nuremberg-wetten: hoofdstuk 13, 4.1

PhD: (Philosophiae Doctor): in Engeland graad van doctor (ook in een andere discipline dan de wijsbegeerte)

Privatdozent: houder van een *venia legendi* (*Habilitation*), niet-statutair en onbezoldigd gemachtigd om bepaalde colleges te geven in afwachting van een benoeming tot hoogleraar

QC (Queen's Counsel) bijzondere categorie van *barristers door de Kroon geselecteerd op basis van hun ervaring en beroepskwalificatie

Reader: hoogste academische titel na die van hoogleraar

Reichsbürgergesetz: hoofdstuk 13, 4.1

Reichkristallnacht: door *SA gecoördineerde, en door regering oogluikend toegestane aanslagen op Joden en Joodse bezittingen tijdens de nacht van 9 op 10 november 1938

SA: zie Sturmabteilung

Senior Common Room: Een gezellig lokaal van een *college waar het academisch personeel samenkomt voor allerlei ontspannende en bestuurlijke doeleinden

Society for the Protection of Science and Learning (Londen): hoofdstuk 13, 5.2

Solicitor: advocaat met algemene praktijk die evenwel het voeren van processen voor hogere rechtbanken aan een barrister moest toevertrouwen; heeft direct contact met cliënt; lid van de *Law Society

SPD: Sozialdemokratische Partei Deutschlands

SPSL: Society for the Protection of Science and Learning

Sturmabteilung SA: paramilitaire vleugel van de nazipartij die Hitler aan de macht hielp en o.m. tot doel had de Joden het leven onmogelijk te maken. Talrijke taken vanaf 1934 overgenomen door SS

Supervision: benaming van *Tutorial in Cambridge

Tutorial: hoofdstuk 13, 3.3

Undergraduate: universiteitsstudent, kandidaat voor een eerste diploma (Bachelor)

Venia legendi: zie *Habilitation

Weimarrepubliek: Duitse democratische staatsvorm (1919-1933) na de afschaffing van het keizerrijk (1918); opgevolgd door het Derde Rijk (1933-1945)

Wetten april 1933 (Duitsland): hoofdstuk 13, 4.1

Vormgeving
GBL communication, Kortrijk (Heule)

Productie
Uitgeverij Snoeck, Gent-Kortrijk

www.snoeckpublishers.be

ISBN: 978-94-6161-080-5
Wettelijk depot: D/2013/0012/04

© Uitgeverij Snoeck

Cover

Foto boven: Collectie SOMA - Brussel 123340
Foto onder: Wordpress ©